Restaurer ses meubles

RICHARD RUTHERFORD

IDÉES PRATIQUES

KÖNEMANN

SOMMAIRE

Une chaise de cuisine ancienne (page ci-contre en haut à gauche), a été décapée et réparée (en bas), puis peinte à l'acrylique (à gauche).

***AVANT** La peinture de ce vieux pupitre d'écolier était éraflée et écaillée.*

Décaper le bois

Pour décaper un meuble peint, la méthode la plus efficace consiste à mettre le bois à nu au décapant. Ce pupitre, couvert de nombreuses couches de peinture, sera le candidat idéal pour subir ce traitement.

MATÉRIEL

- Décapant à peinture et brosse plate usagée
- Gants, lunettes et masque de protection
- Couteau de peintre
- Racloir
- Papier abrasif, 4 feuilles de chaque grain, gros, moyen, fin, très fin
- Ponceuse électrique
- Cale à poncer
- Peau chamoisée

MÉTHODE

1 À l'aide d'une brosse usagée, appliquer le décapant sur le meuble, une partie après l'autre. Les modes d'emploi varient selon les marques ; respecter les précautions d'emploi. Porter des gants et des lunettes de protection, s'assurer que l'on travaille dans un local bien aéré.

2 Racler toute la partie ramollie au couteau de peintre. Racler les creux, recoins et tous les reliefs. Nettoyer tout résidu

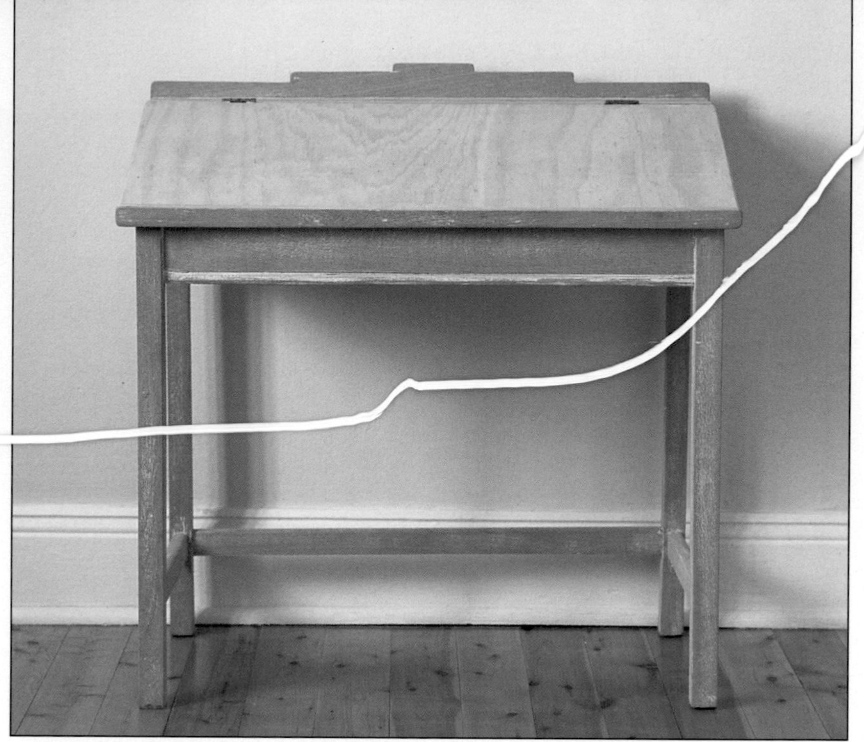

***APRÈS** Le pupitre est maintenant prêt à recevoir n'importe quelle finition.*

de décapant à l'eau ou à l'alcool, selon le mode d'emploi ; laisser sécher.

3 Poncer entièrement le meuble, à la ponceuse électrique pour les surfaces planes et à la cale à poncer pour les parties moins accessibles. Commencer le ponçage par le grain le plus gros, puis diminuer ce grain au cours de l'opération en terminant par le plus fin. Tout le meuble doit être propre et doux au toucher.

4 Dépoussiérer au chiffon propre. Pour la remise en peinture de ce pupitre, voir pages 34-35.

1 Appliquer le décapant avec une brosse usagée. Respecter scrupuleusement les précautions d'emploi préconisées.

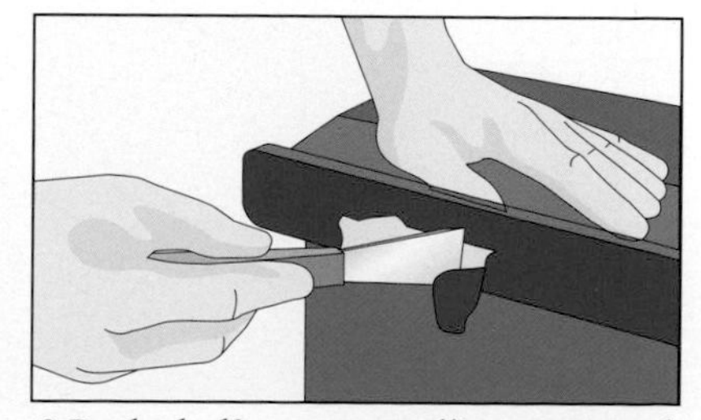

2 Racler le décapant ramolli au couteau de peintre. Insister sur les angles et les recoins.

AVANT *Ce buffet aux vitres peintes a beaucoup de charme, mais la peinture qui recouvrait le vernis d'origine est marquée par l'âge.*

Mettre à nu au décapeur thermique

Si l'on ne souhaite pas employer de décapant chimique, il existe d'autres moyens mécaniques pour mettre à nu un meuble peint ou verni. Les racloirs et la laine d'acier conviennent, mais prendre garde de ne pas entamer le bois. Pour préparer ce buffet, nous avons utilisé un décapeur thermique qui ramollit la peinture avant le raclage.

MÉTHODE

1 Maintenir l'embout du décapeur thermique à 5-10 cm de la surface peinte, selon l'épaisseur et la composition du revêtement. La peinture doit cloquer sans brûler. Au fur et à mesure qu'elle se soulève, la racler au couteau de peintre. Continuer jusqu'à ce que la plus grande partie de la peinture soit enlevée.

MATÉRIEL

- Décapeur thermique
- Couteau de peintre
- Papier abrasif, 4 feuilles de chaque grain : gros, moyen, fin, très fin
- Ponceuse électrique
- Gants, lunettes et masque de protection
- Cale à poncer
- Racloir
- Grattoir triangulaire
- Peau chamoisée

CONSEIL

Avant de commencer les travaux, démonter portes, tiroirs, plaques de serrure et charnières. Le travail en sera grandement facilité et l'on obtiendra ainsi une finition plus professionnelle mais ce ne sera pas toujours possible, à l'exception des tiroirs.

2 Poncer le meuble en commençant par le papier de verre à grain le plus gros. L'emploi d'une ponceuse électrique réduit le temps de travail et la dépense d'énergie ; on peut aussi se servir de la cale à poncer munie d'une feuille de papier de verre.

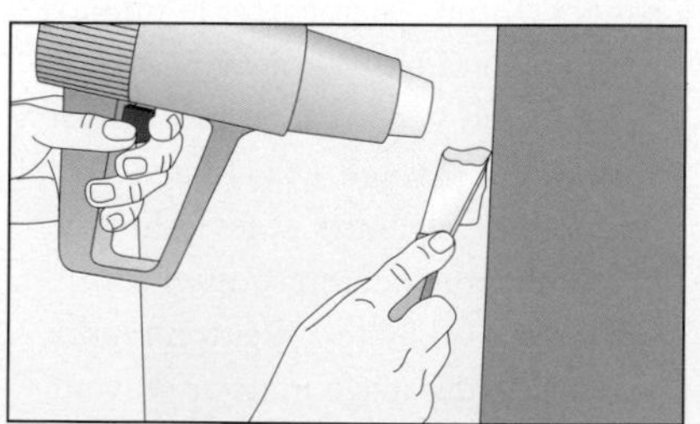

1 Maintenir l'embout du décapeur thermique à 5-10 cm de la surface à traiter et racler la peinture lorsqu'elle cloque.

2 Poncer finement la pièce. L'usage de la ponceuse vibrante est un gain de temps appréciable.

DÉCAPER AU RACLOIR

Pour décaper au racloir, tenir l'outil fermement et le tirer vers soi. On ne le poussera devant soi que pour nettoyer des creux ou des rainures, parce que ce procédé risque d'entamer le bois.

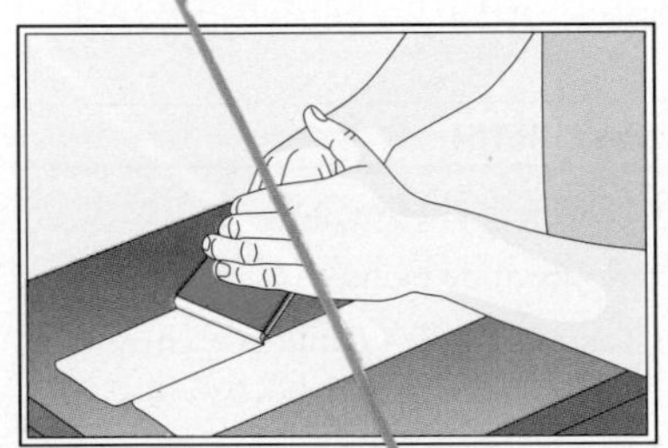

Tenir fermement le racloir à deux mains et le tirer vers soi.

3 Nettoyer toutes les petites surfaces et recoins en utilisant tour à tour les grattoirs et la cale à poncer munie de feuilles abrasives au grain de plus en plus fin, jusqu'à ce tout le meuble soit propre et doux au toucher.

4 Dépoussiérer au chiffon propre. Pour la remise en peinture de ce buffet, voir pages 40-41.

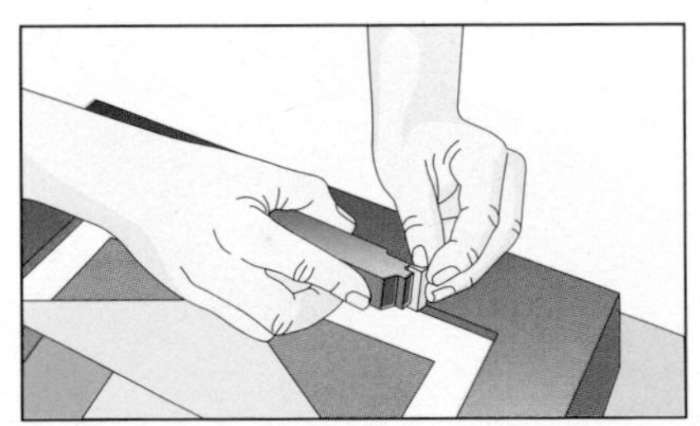

3 Poncer au racloir ou au papier abrasif plié les angles rentrants et les parties les moins accessibles.

LA PEINTURE AU PLOMB

Jusque dans les années 50, les peintures comportaient une proportion très importante de plomb (le blanc d'argent ou blanc de céruse), notamment pour l'apprêt des fonds. C'est pourquoi le décapage de peintures anciennes peut entraîner une exposition très nocive à ce métal, qui menace particulièrement la santé des enfants et des femmes enceintes. Les animaux de compagnie peuvent également en souffrir. Il existe des tests permettant de détecter la présence de plomb dans les peintures.

Ce sont les abrasifs qui font courir le plus de danger, car ils dégagent des poussières que l'on inhale. En présence d'une peinture au plomb, il faut donc proscrire toutes les techniques de ponçage, de grattage et de brûlage.

La seule manière d'enlever ce type de peinture à moindre risque est le décapage chimique, qui permet d'éliminer les résidus dans un récipient. Le décapeur thermique peut être utilisé pour ramollir les couches très épaisses sur des surfaces planes, du moment que l'on ne brûle pas la peinture. Bien rincer le support pour en éliminer tout dépôt.

Porter un vêtement de protection ainsi qu'un masque. Les enfants, les femmes enceintes et les animaux de compagnie devront quitter les locaux et l'on évitera d'entreprendre ce type de décapage un jour de vent, pour que les particules toxiques ne se dispersent pas dans l'air ambiant.

***APRÈS** Le décapage de la peinture et du vernis ont mis à nu le bois de ce buffet, prêt à recevoir sa finition.*

***AVANT** Cette tête de lit en fer forgé était recouverte d'une peinture écaillée qui dissimulait la finesse de l'ornementation.*

Décaper le fer forgé

La ferronnerie peinte doit être décapée par des moyens mécaniques : grattoirs, brosses métalliques et papier de verre. La rouille est grattée de la même manière.

MÉTHODE

1 Commencer par gratter la peinture écaillée à l'aide du couteau (sur toute la surface), et enlever soigneusement les traces de rouille.

MATÉRIEL

- Couteau de peintre
- Gants, lunettes et masque de protection
- Brosse métallique ou ponceuse à disque métallique
- Papier abrasif (à sec) et toile émeri (à l'eau), 2 feuilles de chaque grain : gros et moyen
- Eau

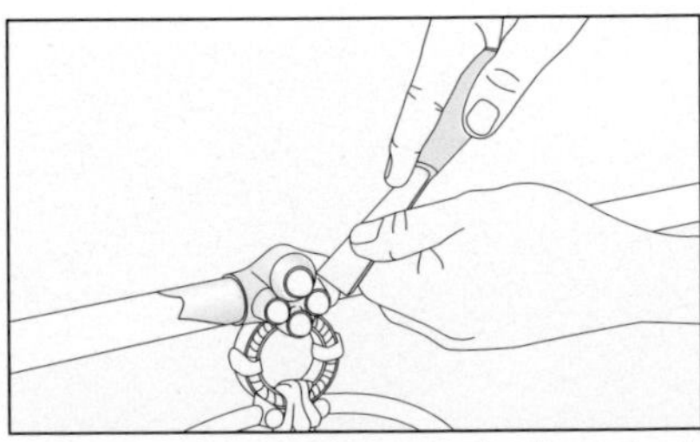

1 Gratter la peinture de la ferronnerie au petit couteau de peintre ainsi que la rouille qui a pu s'y former.

***APRÈS** Le fer forgé mis à nu, la tête de lit peut recevoir sa finition.*

2 Nettoyer toute la ferronnerie ornementale à la brosse métallique. Si l'on dispose d'une ponceuse à disque métallique, on peut associer ces deux méthodes.

3 Tandis que l'on ponce les montants à la toile émeri (d'abord au grain le plus gros puis au grain le plus fin), on laisse couler en permanence un filet d'eau sur la partie travaillée.

4 Bien rincer tout le métal et le sécher complètement avant la remise en peinture (voir pages 42-43).

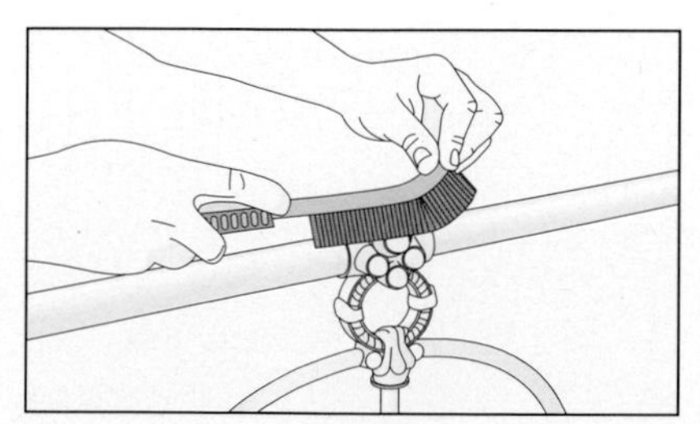

2 Gratter les parties ornementales à la brosse métallique, ou à la ponceuse à disque électrique munie d'une brosse métallique.

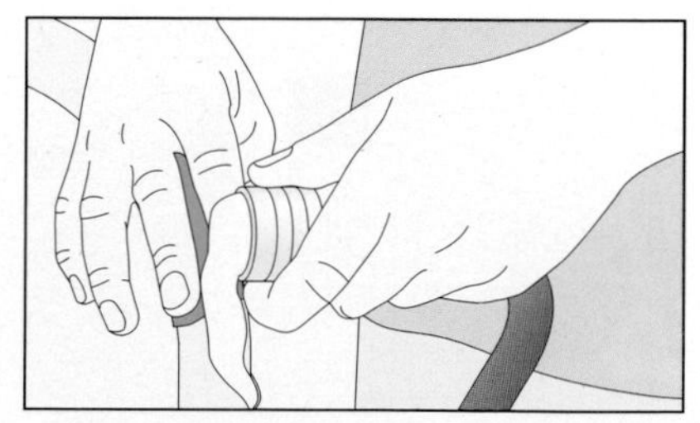

3 Poncer finement le cadre à la toile émeri en laissant couler dessus un filet d'eau.

Décaper le rotin

Le rotin ou l'osier seront mis à nu facilement grâce au décapant chimique, qui permet d'atteindre les parties les moins accessibles.

MATÉRIEL

- Décapant chimique et brosse plate usagée
- Gants, lunettes et masque de protection
- Racloir, couteau de peintre
- Grattoir triangulaire
- Nettoyant ménager doux
- Brosse métallique
- Ponceuse électrique
- Papier abrasif : 2 feuilles à grain moyen et 2 fines
- Brosse douce ou chiffon doux

MÉTHODE

1 Appliquer le décapant à la brosse plate jusqu'à ce que le produit agisse sur la peinture. Traiter aussi toutes les parties les moins accessibles.

2 Racler la peinture en alternant grattoirs et couteaux qui auront tous leur utilité. Appliquer une nouvelle couche de décapant sur les parties rebelles.

3 Rincer le produit chimique au nettoyant ménager et à l'eau (se reporter au mode d'emploi du décapant). Tout résidu non éliminé serait préjudiciable à la remise en peinture.

4 Frotter à la brosse métallique les recoins non traités.

NETTOYER LE ROTIN BRUT

Le mobilier de rotin naturel se nettoie au chiffon doux et à l'eau chaude savonneuse. Laisser sécher complètement le meuble au soleil, ce qui par ailleurs l'éclaircira.

On peut aussi éclaircir le rotin en le badigeonnant d'eau salée froide ou de décolorant (eau oxygénée ou eau de Javel) très dilué, puis en le laissant sécher au soleil.

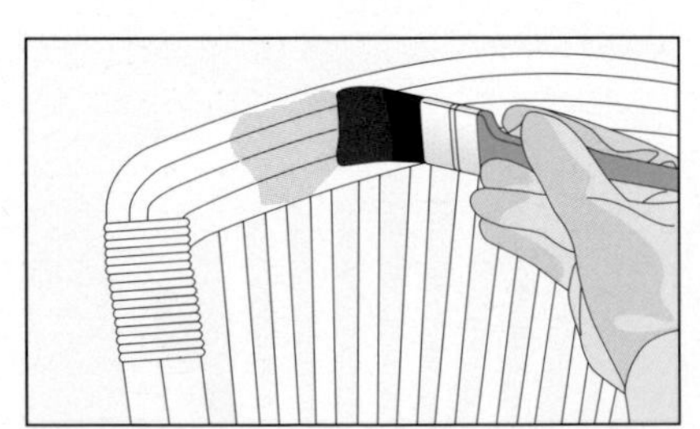

1 À l'aide d'une brosse usagée, appliquer le décapant sur toute la surface du rotin, en insistant sur les creux et les fentes.

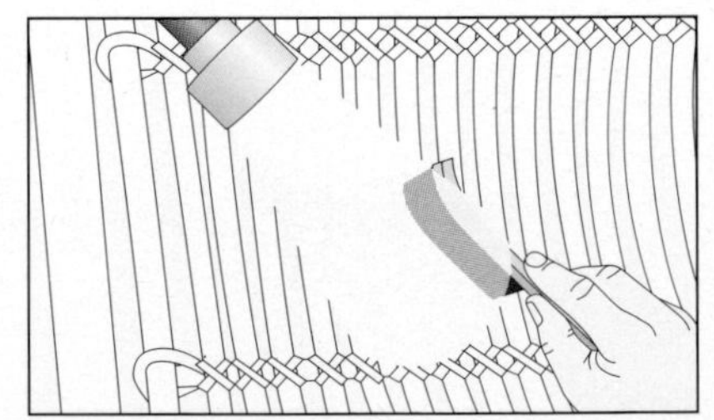

3 Rincer soigneusement tous les résidus de décapant, faute de quoi la mise en peinture en pâtirait.

AVANT ***Une peinture écaillée, des ligatures déroulées et une couche de saletés déparaient ce fauteuil de rotin.***

***APRÈS** Décapé, nettoyé et réparé, le fauteuil attend son nouvel apprêt.*

RÉPARER LES LIGATURES

Le mobilier de rotin est maintenu par des enroulements de lanières de rotin, qui se détachent à l'usure. Leur remplacement constitue une des réparations les plus courantes sur ce type de meuble.

1 Tremper les lanières neuves environ une heure dans de l'eau pour les assouplir.

2 Fixer une extrémité de la lanière par un petit clou ou une agrafe et de la colle vinylique. L'enrouler le plus étroitement possible autour des cannes en la maintenant en place par une pince. Terminer la fixation par un clou ou une agrafe et de la colle vinylique.

Les ligatures des meubles de rotin se déroulent à l'usure.

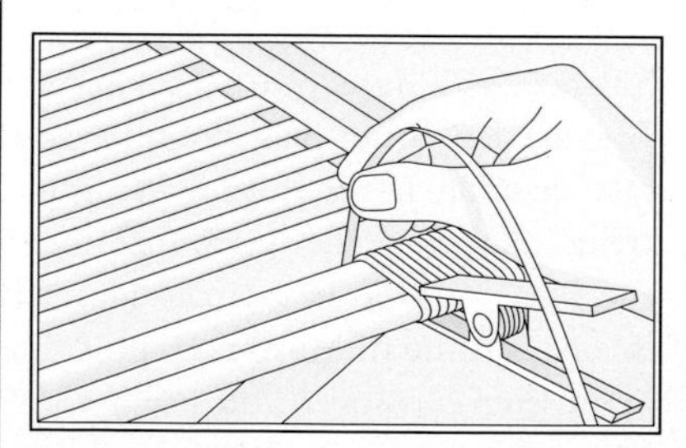

2 Serrer le plus possible la nouvelle lanière autour des cannes de rotin en la maintenant à la pince à linge.

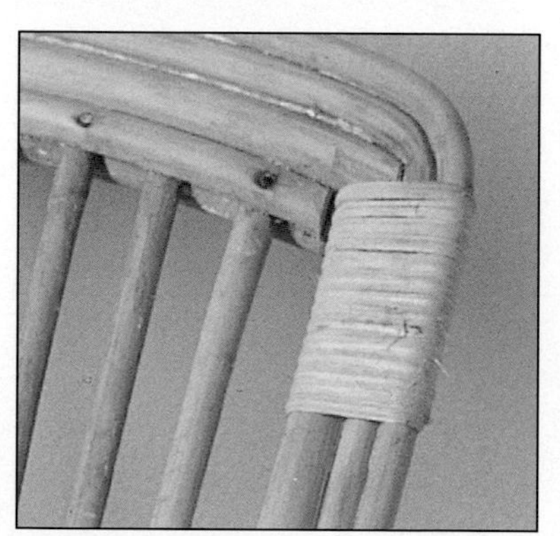

Avec ses nouvelles ligatures, le fauteuil est comme neuf.

5 À l'aide d'une ponceuse à disque fin, poncer la plus grande surface possible du meuble. Puis poncer toutes les parties inaccessibles au papier abrasif moyen puis fin.

6 Dépoussiérer à la brosse douce ou au chiffon. Pour la remise en peinture, voir pages 44-45.

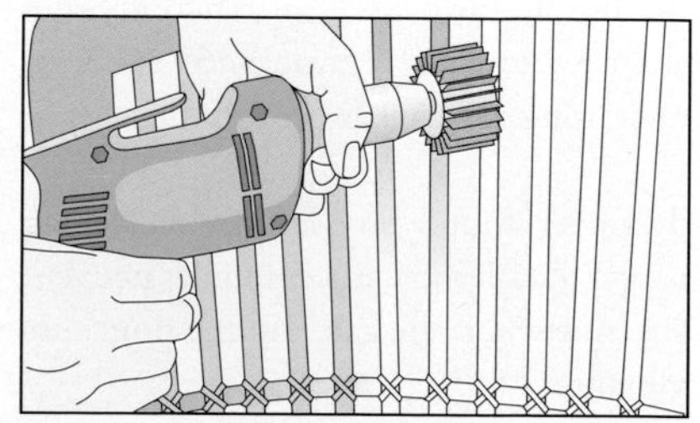

5 Poncer finement les cannes de rotin à la ponceuse électrique munie d'une tête abrasive ou au papier abrasif.

Dévernir au racloir

Lorsqu'un vernis ancien est devenu cassant, il est facile de le gratter. Mais s'il reste très adhérent, seul le décapant chimique en viendra à bout.

MATÉRIEL

- Racloir
- Papier abrasif, 2 feuilles de chaque grain : moyen, fin, très fin, ultra fin
- Cale à poncer
- Ponceuse électrique
- Lunettes et masque de protection
- Lime douce triangulaire
- Brosse métallique
- Peau chamoisée

MÉTHODE

1 Dévisser les poignées et les charnières de la commode.

2 Attaquer le vernis au racloir. Commencer par les surfaces planes en grattant, avec la lame à angle droit, dans le sens du fil du bois. Si l'on rencontre des aspérités, tourner la lame à 45° et continuer, toujours dans le sens du fil.

3 Poncer toutes les surfaces raclées au papier abrasif moyen. Les feuilles peuvent être fixées sur une cale ou une ponceuse vibrante.

4 Nettoyer les parties creuses et les moulures au racloir, maintenu à deux mains près de la lame pour en contrôler le mouvement. On doit normalement tirer l'outil vers soi, mais, pour ces parties délicates, il sera plus efficace de le pousser.

5 Utiliser une lime triangulaire aux arêtes acérées pour creuser dans les rainures. Nettoyer la lime au fur et à mesure à la brosse métallique.

6 Poncer les surfaces planes à la ponceuse vibrante, les parties plus étroites avec la cale, et enfin les rainures et les angles creux au papier de verre plié - en commençant avec le grain le plus fort et en continuant jusqu'au plus fin. Épousseter et essuyer. Voir pages 58-59 pour les finitions.

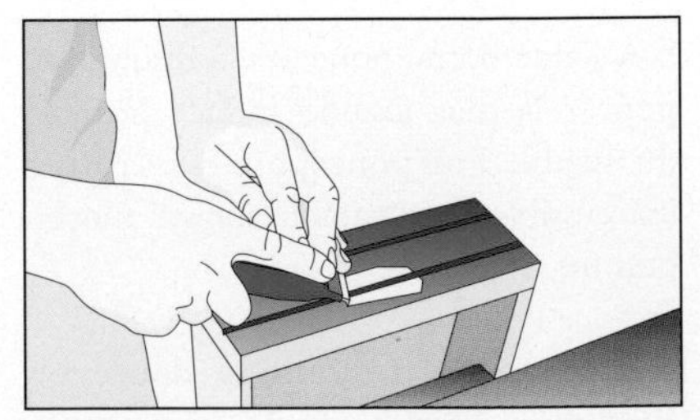

2 Gratter le vernis au racloir en veillant à travailler dans le sens du bois.

AVANT Le vernis usé de ce petit meuble à tiroirs était devenu suffisamment sec et cassant pour pouvoir être gratté.

APRÈS Le bois a retrouvé tout son éclat. Le coin endommagé a été remplacé par une pièce rapportée (voir page 31).

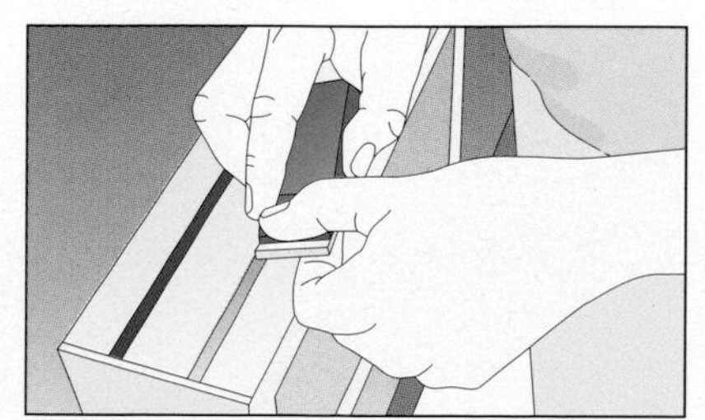

4 Nettoyer les rainures au racloir. Tenir fermement l'outil près de la lame pour en contrôler le mouvement.

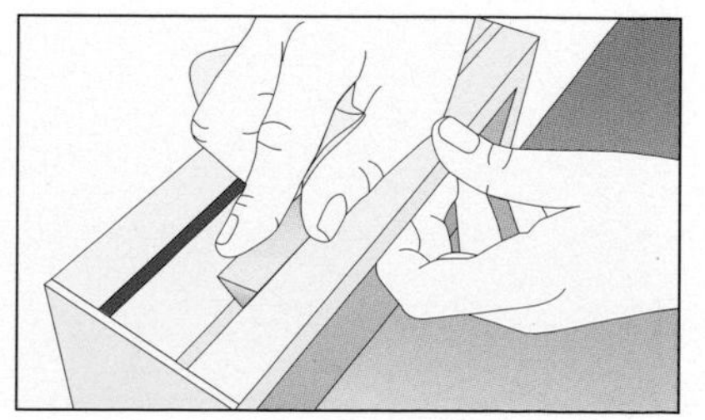

5 Passer la lime triangulaire dans les rainures pour les recreuser et redresser leur profil.

***AVANT** Cette commode, qui avait vu des jours meilleurs, ne demandait qu'à être rajeunie.*

Dévernir au décapant

Le décapant peut être utilisé pour éliminer les couches de vernis et de peinture. Cette méthode s'avère la plus efficace pour les couches les plus tenaces.

MÉTHODE

1 Passer rapidement toute la commode au papier abrasif de grain moyen pour entamer le vernis que le décapant attaquera mieux après cette préparation.

2 Couvrir de vieux journaux ou d'une bâche le sol d'un local bien ventilé, là où les lambeaux de peinture décapée tomberont. Enduire généreusement la commode de décapant et laisser agir de 1 heure à 4 heures, jusqu'à ce que le vernis soit entièrement cloqué.

3 Racler le vernis ramolli au couteau de peintre. Toutes les parties où le vernis ne se détache pas devront être de nouveau imprégnées de décapant.

4 Nettoyer toute trace de décapant, soit en lavant le meuble au détergent et à l'eau, soit en le frottant à l'alcool à brûler, selon le mode d'emploi du décapant. L'eau risquant toujours d'altérer le bois, on ne nettoiera les essences

MATÉRIEL

- Papier abrasif, 8 feuilles : du plus gros au plus fin possible
- Papier journal ou bâche
- Gants, lunettes et masque de protection
- Brosse plate usagée
- Décapant chimique
- Couteau de peintre
- Nettoyant ménager doux
- Grattoir triangulaire
- Cale à poncer
- Ponceuse électrique
- Brosse douce ou chiffon
- Peau chamoisée

2 Appliquer à la brosse une généreuse couche de décapant sur toute la pièce. Travailler toujours dans un local bien aéré.

3 Dès que le vernis cloque, le racler au couteau de peintre. Le décapant peut mettre 4 heures à agir.

Un décapant chimique est idéal pour décaper ces fines rainures

précieuses qu'à l'alcool. Ne jamais exposer un meuble humide au soleil.

5 Racler toute trace de vernis dans les rainures et les recoins au grattoir triangulaire.

6 Poncer la commode à la cale, munie de papier abrasif en commençant par le grain moyen ou le gros, selon la qualité du vernis, et en continuant avec du grain fin puis très fin. La ponceuse électrique convient aux surfaces planes. Traiter les rainures et les endroits délicats au papier de verre plié. Épousseter et essuyer. Voir pages 46-47 pour les finitions.

LA SÉCURITÉ D'ABORD

PONÇAGE

- Pour toute opération de ponçage, porter un masque et des lunettes de protection. Si l'on traite un revêtement comportant des risques de santé (par exemple une peinture au plomb), se munir d'un masque approprié.
- Se protéger les oreilles si l'on utilise un appareil électrique, tel qu'une ponceuse.

DÉCAPAGE

- Le décapant chimique est un produit corrosif qui attaque la peau en cas de contact. Porter des lunettes de protection, surtout au moment où l'on racle la peinture, des gants et des vêtements amples.
- Ces produits dégageant des vapeurs toxiques ne doivent être utilisés que dans des locaux bien ventilés.

PEINTURE ET TEINTURE

- Travailler toujours dans un local bien ventilé.
- Porter des gants de caoutchouc pour éviter les taches de colorant sur les mains.

5 Racler les parties difficiles d'accès, telles que rainures et angles rentrants, au grattoir triangulaire.

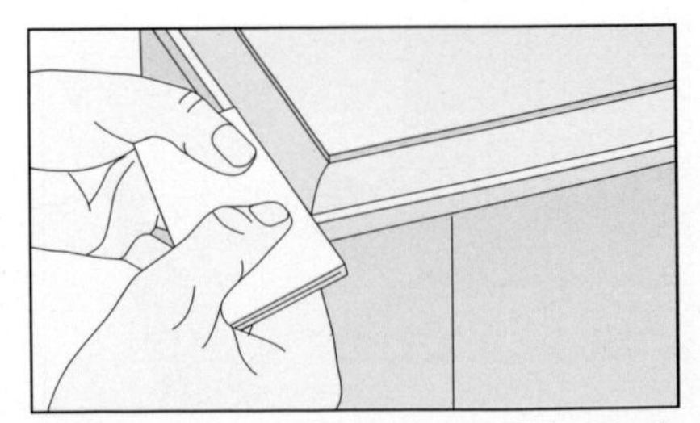

6 Poncer en commençant par le grain le plus gros. Plier les feuilles en trois pour atteindre les parties les moins accessibles.

***APRÈS** Sous le vieux vernis, le décapant révèle toute la beauté du bois et de son veinage.*

Décaper un vernis d'ébénisterie

Les vernis d'ébénisterie, notamment la gomme-laque et le vernis au tampon, sont à base d'alcool. On les dissout donc à l'alcool à brûler, opération qui ne présente pas de difficulté, mais qui demande de la patience et de l'énergie.

MÉTHODE

1 Passer le meuble à l'alcool à brûler avec de la laine d'acier fine ou un tampon abrasif fin (ce dernier a l'avantage de ne pas s'encrasser aussi vite que la laine d'acier). Utiliser des gants pendant le travail. Procéder par petites surfaces, autant que possible dans le sens du fil, et essuyer la laque au fur et à mesure avec un chiffon imbibé d'alcool à brûler.

2 Racler au grattoir les rainures et les recoins. Dégager les arêtes du bois à la lime.

3 Poncer ensuite toutes les moulures, cannelures et reliefs du meuble à la cale ou au papier de verre plié. Utiliser tous les grains, excepté le plus fin, en commençant par le plus gros. Avec trois duretés différentes, gros, moyen, très fin, on obtiendra déjà un résultat satisfaisant, mais seul l'emploi de tous les grades indiqués donnera une surface parfaitement

MATÉRIEL

- Alcool à brûler (1 litre environ pour un petit meuble)
- Laine d'acier fine ou tampon abrasif fin
- Gants de caoutchouc et masque anti-poussière
- Chiffon
- Grattoir
- Lime plate douce
- Papier abrasif, 2 feuilles de chacun des 8 grains du plus gros, jusqu'au plus fin
- Cale à poncer
- Ponceuse électrique
- Brosse douce ou peau chamoisée

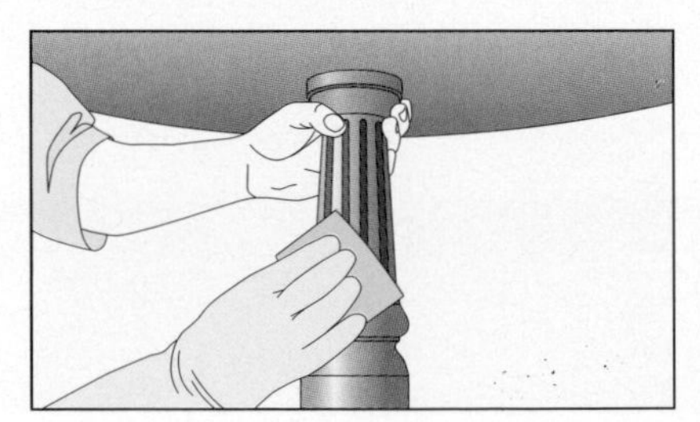

1 Imprégner de la laine d'acier (ou un tampon abrasif fin) d'alcool à brûler. Porter des gants pour se protéger les mains.

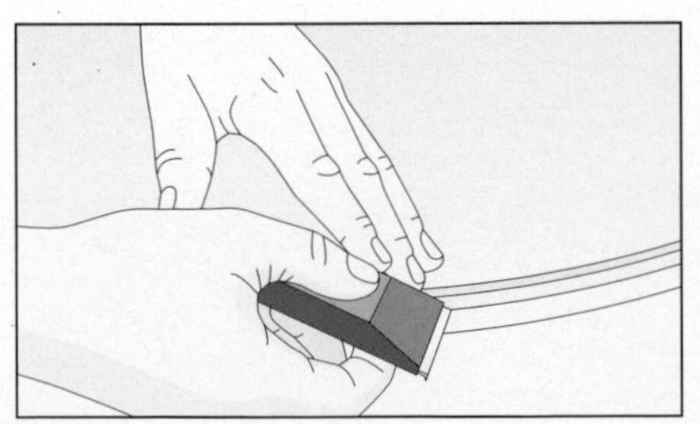

2 Gratter au racloir les rainures et les recoins. Veiller à ne pas entamer le bois.

***AVANT** Le vernis à l'alcool qui recouvrait ce guéridon était usé et éraflé, notamment sur les arêtes du socle.*

***APRÈS** Ce guéridon, entièrement décapé de son vieux vernis, révèle les teintes de deux essences différentes.*

lisse - indispensable si l'on envisage une finition à l'encaustique, au vernis ou à l'huile.

4 Terminer en ponçant de nouveau les surfaces planes, à la cale ou au papier de verre plié, et en utilisant tous les grades, sauf le plus fin.

5 Si l'on souhaite une finition à l'huile, laisser le meuble de côté en attendant que les pores du bois s'ouvrent à l'humidité ambiante. Pour une finition à l'eau, on fera gonfler le bois en passant la pièce au chiffon humide.

6 Une fois le meuble sec, on le ponce une dernière fois au papier abrasif le plus fin.

7 Épousseter le guéridon au chiffon ou à la brosse douce. Pour une finition à l'huile, voir pages 60-62.

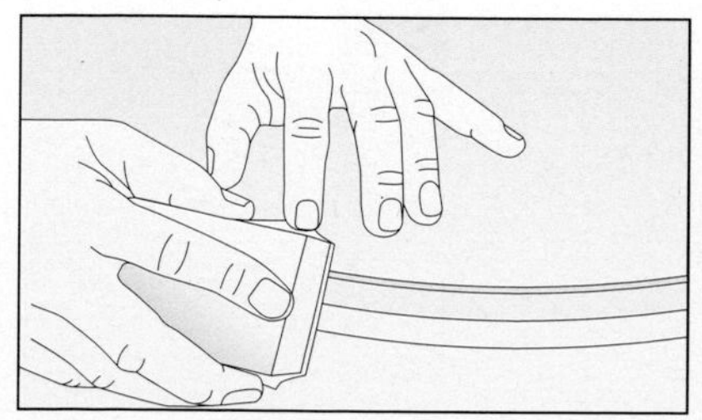

3 Poncer les parties creuses et les angles rentrants au papier abrasif plié ou fixé sur une cale à poncer.

AFFÛTER UN RACLOIR

Maintenir le racloir à 45° dans un étau. Poser une lime sur la lame. En se guidant sur l'angle que forme le fil, l'aiguiser en poussant la lime dans le même sens en ne mordant qu'à l'aller, ou d'un mouvement oblique pour aiguiser toute la largeur de la lame d'un seul geste. La lime en acier trempé doit être mordante.

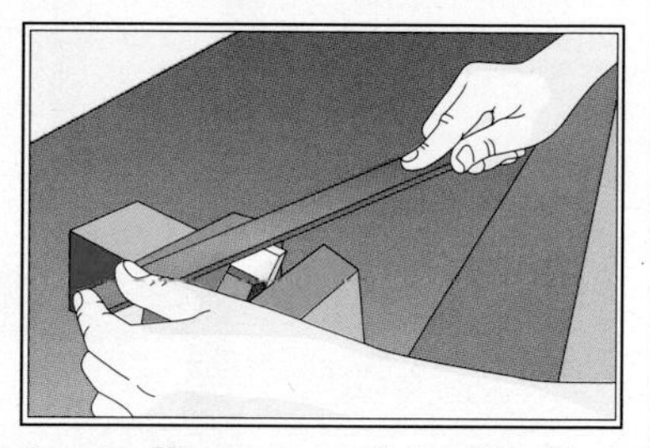

Pour affûter un racloir, l'incliner à 45° dans un étau.

Pour un grattoir triangulaire, serrer la partie métallique du manche dans un étau. Se guider sur l'angle du fil et pousser la lime d'un seul mouvement sur toute la largeur de la lame en ne mordant qu'à l'aller. Si le grattoir est ébréché, il faudra lui redonner du fil à la meuleuse.

Pour affûter un grattoir triangulaire, serrer la virole du manche dans l'étau.

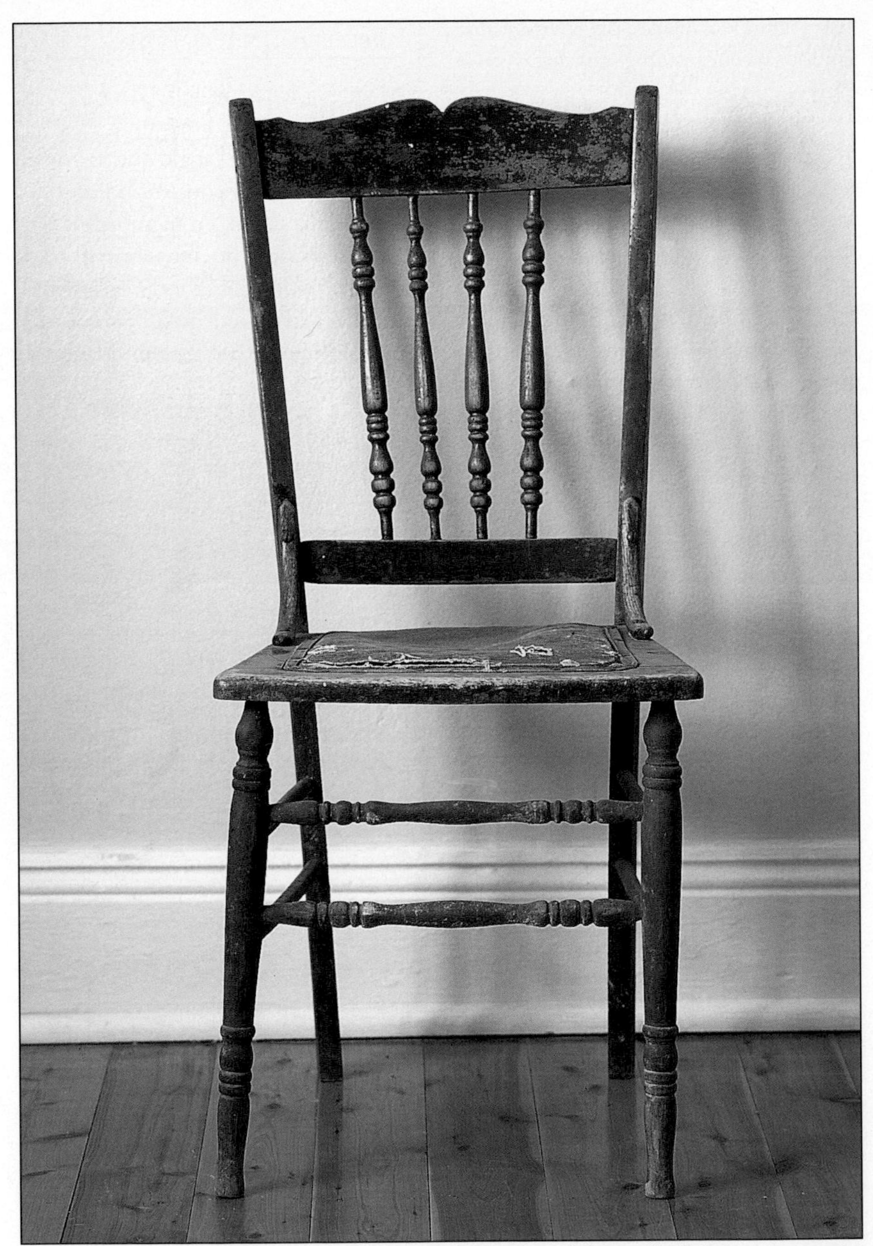

Cette chaise ne manquait pas de charme sous ses dehors décrépits et son assise à remplacer.

Réparer une chaise

Cette chaise de cuisine se trouvait en bien mauvais état, mais ses lignes et la qualité de son bois tourné valaient bien une réparation. La méthode employée peut s'appliquer à toutes sortes de meubles.

MATÉRIEL

- Tenailles de menuisier
- Marteau
- Ciseau à bois
- Pince à clous
- Mètre
- Colle vinylique
- Tourillon de bois
- Serre-joint
- Chasse-clou

Le fond du siège en contre-plaqué était défoncé et vermoulu. Il fallait le remplacer.

MÉTHODE

1 À l'aide de la tenaille, du marteau et du ciseau, enlever l'assise abîmée. Travailler lentement et avec soin pour ne pas endommager le bâti.

2 Arracher les clous restants. S'ils ne se laissent pas tirer, les enfoncer complètement dans la ceinture à l'aide d'un chasse-clou.

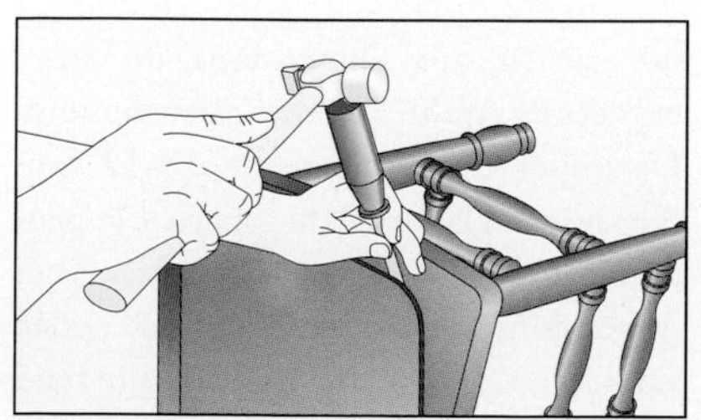

1 Enlever l'ancienne assise au marteau, au ciseau à bois et à la tenaille si nécessaire, sans endommager le bois.

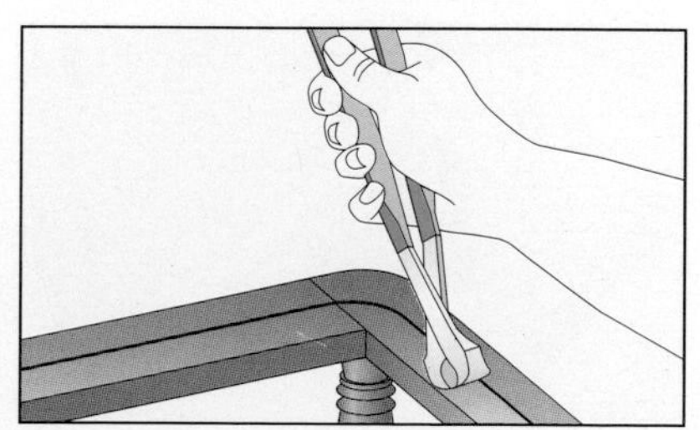

2 Arracher les vieux clous à la pince. Enfoncer tous ceux qui ne se laissent pas tirer.

LE DÉCAPAGE PROFESSIONNEL

On peut considérablement diminuer son temps de travail en faisant appel à un professionnel pour décaper un meuble, notamment s'il s'agit d'une pièce de quelque importance. Le mobilier est plongé en atelier dans des cuves de décapant. Ce procédé, très efficace, ne convient néanmoins qu'à des bois massifs résistants, à l'exclusion des meubles vernis ou des sièges en bois courbé. Veiller également à ce que toute trace de décapant ait bien été éliminée du meuble avant de lui donner une nouvelle finition.

Après ce traitement, nettoyez le meuble au vinaigre. Badigeonner copieusement le meuble à la brosse, sans oublier les fentes ou les parties difficiles d'accès. Le vinaigre neutralisera le produit caustique utilisé qui aurait laissé des traces sous la forme d'une poudre blanche. Si ces dépôts persistent, appliquer à nouveau du vinaigre.

Laisser sécher complètement le meuble et le poncer avant d'entreprendre toute nouvelle finition.

3 Vérifier la solidité des pieds. S'ils sont branlants, les démonter (en veillant à ne pas abîmer le bois) et marquer les pièces pour les réassembler dans le bon ordre. Gratter tout résidu de colle puis réencoller le haut du pied et son trou. Mettre les pièces sous presse jusqu'à ce que la colle soit sèche. Procéder de la même façon avec les autres pieds.

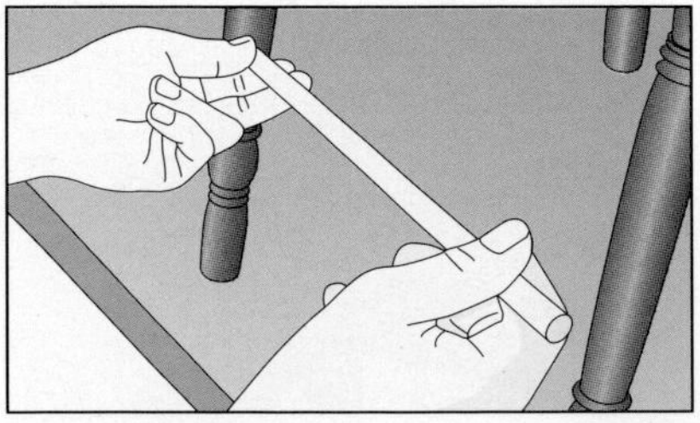

4 Pour remplacer une traverse, placer le barreau dans l'un des trous puis dans l'autre et centrer entre les deux pieds.

4 Pour remplacer un barreau transversal, mesurer la distance entre les pieds et ajouter la profondeur d'un trou (celui dans lequel la traverse sera insérée). Couper une longueur de tourillon à la taille voulue. Encoller légèrement les deux trous de la traverse, ajuster celle-ci dans l'un des trous puis dans l'autre. Introduire le nouveau barreau entre les pieds et laisser durcir la colle.

5 Pour remplacer l'assise, découper un gabarit aux dimensions du siège et vérifier qu'il s'ajuste correctement. Découper une planche de 10-12 mm d'épaisseur à la forme du gabarit. On peut garnir le siège en découpant aux mêmes dimensions une plaque de mousse collée sur l'assise ; sur cette mousse, on tend une toile que l'on agrafe dessous. Enfin, recouvrir la toile d'un tissu de son choix.

Une fois décapée, ses pieds réparés et ses traverses remplacées, cette chaise n'attend plus qu'une dernière finition (voir pages 32-33).

Réparations simples

RÉPARER LES COULISSEAUX D'UN TIROIR

Un tiroir s'emboîte en général entre des pièces de bois, les coulisseaux du meuble, sur lesquels glissent les baguettes qui bordent le fond du tiroir. Les coulisseaux finissent par s'user, notamment à proximité des serrures, surtout lorsque celles-ci ont été forcées. Leur remplacement est une opération délicate, aussi est-il préférable de les renforcer en leur rapportant une lame de laiton (voir aussi page 49).

1 Couper, à la scie à métaux, la longueur de laiton nécessaire pour couvrir la partie usée ou éclatée des coulisseaux. Percer à la mèche à métaux deux trous aux extrémités de cette lame, fraiser le haut des trous pour que les têtes de vis y disparaissent.

2 Maintenir la lame de laiton contre le coulisseau et marquer au crayon la longueur de bois à évider. Avec une scie à tenons, pratiquer sur le bois, à l'endroit de ces marques, des entailles de l'épaisseur du métal et creuser le coulisseau au ciseau à bois.

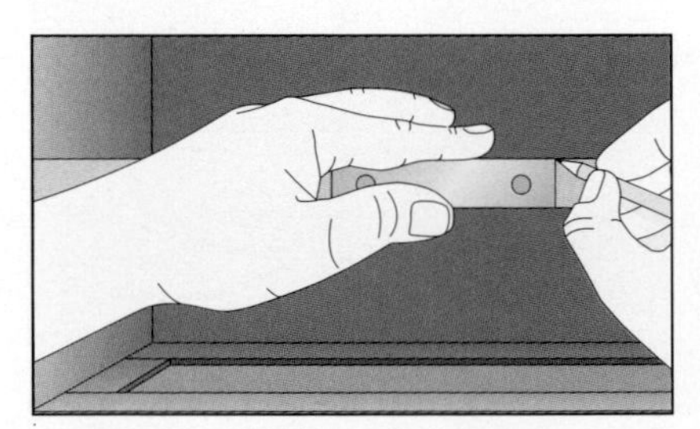

2 Maintenir la lame de laiton contre le coulisseau et marquer au crayon la partie à évider.

3 Nettoyer et vernir le laiton avant de le visser en place. Vernir les têtes de vis.

RÉPARER LES GLISSIÈRES D'UN TIROIR

Sur les meubles anciens, les pièces de bois latérales guidant le fond du tiroir sont en général usées, rendant l'ouverture et la fermeture difficiles. La réparation de ces glissières ne pose guère de difficulté.

1 Au ciseau à bois, égaliser la glissière usée.

2 Clouer ou coller sur la glissière une mince bande de bois pour rétablir son épaisseur d'origine.

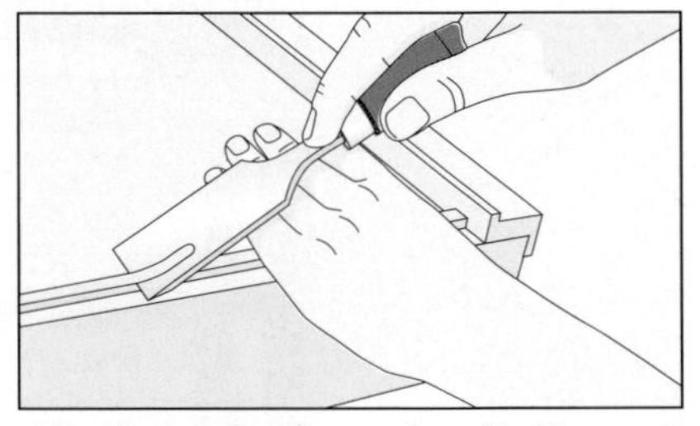

1 Remettre à niveau la glissière usée au ciseau à bois.

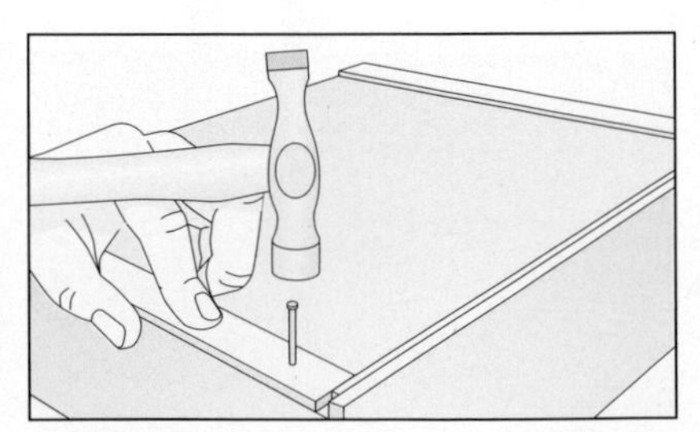

2 Clouer une baguette sur la glissière retaillée pour lui redonner son épaisseur d'origine.

REBOUCHER TROUS ET FISSURES

Trous, fissures et enfoncements sont des défauts courants qui déparent bien souvent les meubles anciens.

• Les fissures longues et étroites se rebouchent au bois synthétique qui peut être repeint.

• Les fentes et les trous, notamment ceux causés par les clous et les vis, se colmatent à la pâte à reboucher avec un couteau à enduire à lame souple. On choisira la couleur de cette pâte en fonction du bois à réparer. Dans les parties d'accès difficiles, pour obtenir une bonne finition, il faudra sans doute en passer deux couches, voire trois. Poncer légèrement à chaque fois au papier abrasif de grain moyen.

• Remodeler les coins ou les reliefs manquants à la pâte à bois ou au bois synthétique, comme le montre l'illustration ci-dessous.

• Les chocs et les coups, qui ont simplement enfoncé le bois sans l'entamer, se réparent en les couvrant d'un linge épais et mouillé que l'on presse au fer chaud. La vapeur dégagée fera remonter les fibres compressées.

Des traces de brûlure déparaient cette desserte. Elles ont été poncées avant les travaux de finition.

ENLEVER LES TACHES

Les traces de verres, les brûlures de cigarettes peuvent défigurer de beaux meubles. La méthode à suivre dépendra de la gravité de ces défauts.

• Enlever les marques superficielles à la pâte abrasive, telle que la pâte à polir métallique, et au chiffon doux.

• Les traces de brûlure doivent en général être poncées. Si le bois est profondément atteint, le trou sera comblé à la pâte à bois.

Une pièce de bois a été rapportée sur cet angle endommagé (voir page 17). On aurait pu aussi la modeler avec de la pâte à bois.

NETTOYER LE CUIVRE

Nettoyer les poignées ou les charnières de cuivre à la brosse de laiton ou au tampon abrasif fin, puis étendre une pâte pour cuivres. On peut, si on le souhaite, vernir ces pièces à la bombe. Appliquer le vernis sur les têtes de vis avec un petit pinceau.

Après sa réparation, cette chaise a été peinte à l'acrylique. Ainsi rénovée, elle aura encore de nombreuses années devant elle.

Peindre à l'acrylique

La peinture acrylique est la peinture à l'eau le plus souvent utilisée. Elle est facile à appliquer et le matériel se nettoie à l'eau.

MÉTHODE

1 Préparer le meuble à traiter (voir encadré, page 53).

2 Appliquer la couche d'apprêt ; laisser sécher.

3 Reboucher à l'enduit et au couteau à enduire les trous et les fentes qui apparaissent à ce stade. Poncer les parties planes au papier abrasif fin ; frotter le piétement et les barreaux du dossier à la laine d'acier.

4 Épousseter à la brosse ou au chiffon doux et appliquer une deuxième couche d'apprêt ; laisser sécher.

5 Poncer les parties planes au papier abrasif très fin, les pieds et les barreaux à la laine d'acier.

6 Appliquer la première couche de finition. Pour éviter coulures et surcharges, lisser la peinture à la brosse plate douce (queue-de-morue en soies de porc), en insistant sur les parties décoratives. Laisser sécher.

7 Poncer les parties planes au papier abrasif très fin, les pieds et les barreaux à la laine d'acier. Épousseter à la brosse douce ou au chiffon puis à la peau chamoisée avant d'appliquer la dernière couche de finition. Laisser sécher.

MATÉRIEL

- Peinture d'apprêt
- Brosses et pinceaux
- Enduit
- Couteau à enduire
- Papier abrasif : 1 feuille à grain fin et une à grain très fin
- Laine d'acier ou tampon abrasif fin
- Brosse douce ou chiffon
- Peinture de finition
- Peau chamoisée

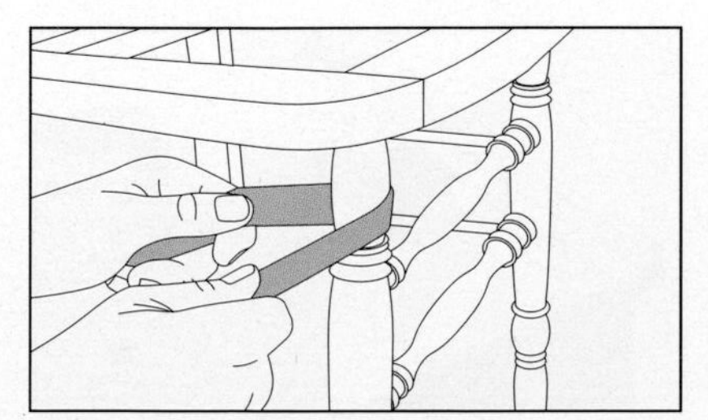

3 Poncer la couche d'apprêt à la laine d'acier sur les parties rondes telles que le piétement ou les barreaux.

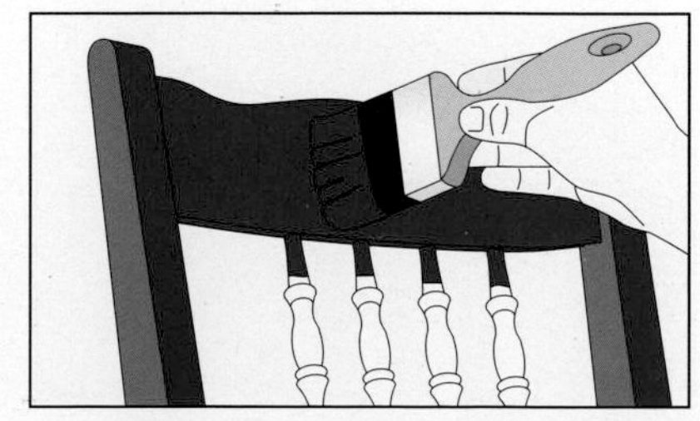

6 Appliquer la première couche de finition et essuyer les coulures avec une brosse plate en soies de porc. Laisser sécher.

Peindre à la laque

La peinture laque, glycérophtalique ou à l'huile ou alkyde (résine) est devenue moins populaire que la peinture acrylique (à l'eau) car son temps de séchage est plus long et le matériel doit être nettoyé à l'essence. La résistance des laques n'en est pas moins supérieure et, pour cette raison, convient particulièrement bien à un pupitre d'enfant.

MÉTHODE

1 Préparer le meuble à traiter (voir encadré, page 53). Appliquer la couche d'apprêt ; laisser sécher.

2 Poncer légèrement cette première couche ; le bois ne doit pas être mis à nu. Si le ponçage arase accidentellement la peinture, il faudra reprendre ces parties avant de passer la deuxième couche. Épousseter.

3 Étendre la première couche de finition. Pour obtenir le meilleur aspect, tirer la peinture aussi loin que possible, légèrement et du bout des soies. Laisser sécher.

MATÉRIEL

- Peinture d'apprêt
- Brosse plate (queue-de-morue)
- Papier abrasif : 1 feuille à grain très fin et une à grain ultra fin
- Peinture de finition
- Chiffon propre
- White spirit (pour le nettoyage)

4 Poncer légèrement au papier abrasif ultra fin, en veillant à ne pas entamer la peinture jusqu'à la couche d'apprêt. Épousseter.

5 Appliquer une seconde couche de finition, sans la poncer. L'aspect doit être tendu et brillant.

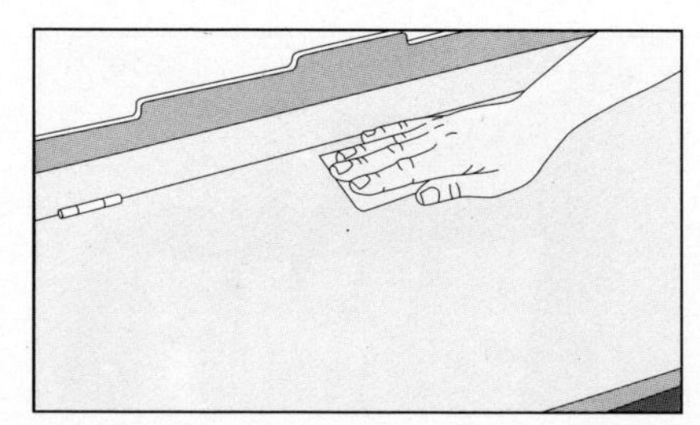

2 Poncer légèrement la couche d'apprêt au papier de verre très fin, d'un mouvement régulier.

3 Appliquer la couche de finition du bout des soies en longs allers et venues.

Une laque brillante a donné une nouvelle jeunesse à ce pupitre et le protégera encore longtemps.

Le vert tendre de ce garde-manger est rehaussé par le rouge de ses baguettes d'encadrement.

Peindre en deux tons

Les oppositions de deux tons ou plus donnent d'excellents résultats sur un meuble peint. La méthode est la même que si l'on n'emploie qu'une couleur, mais il faut masquer soigneusement les parties à peindre pour obtenir des tracés nets.

MATÉRIEL

- Peinture d'apprêt
- Brosses plates et pinceaux
- Papier abrasif : 1 feuille à grain très fin et une à grain super fin
- Bloc à poncer
- Brosse douce ou chiffon
- Peau chamoisée
- Tampon abrasif fin
- Peinture pour la teinte principale
- Peinture pour la seconde teinte
- Ruban à masquer

MÉTHODE

1 Préparer le meuble à traiter (voir encadré, page 53).

2 Appliquer la couche d'apprêt sur la pièce entière, y compris les panneaux de portes et les baguettes. La brosse doit suivre le fil du bois et remplir les pores de peinture. Laisser sécher complètement.

3 Poncer légèrement au papier abrasif très fin en veillant à ce que le bois ne soit pas mis à nu. Cela peut arriver sur les arêtes qui devront, dans ce cas, être retouchées avant la première couche de finition. On peut travailler au bloc à poncer, mais le résultat sera meilleur en utilisant une demi-feuille de papier abrasif pliée en trois. Épousseter à la brosse douce ou au chiffon, puis à la peau chamoisée pour obtenir une surface parfaitement propre.

4 Appliquer la première couleur (ici du vert). Bien tirer la peinture du bout des soies puis la lisser sans interrompre le mouvement. Laisser sécher.

5 Poncer légèrement au papier super fin, en veillant toujours à ne pas mordre sur les arêtes. Le tampon abrasif fin peut être utile sur les courbes. Épousseter à la brosse douce ou au chiffon puis à la peau chamoisée. Appliquer la seconde couche.

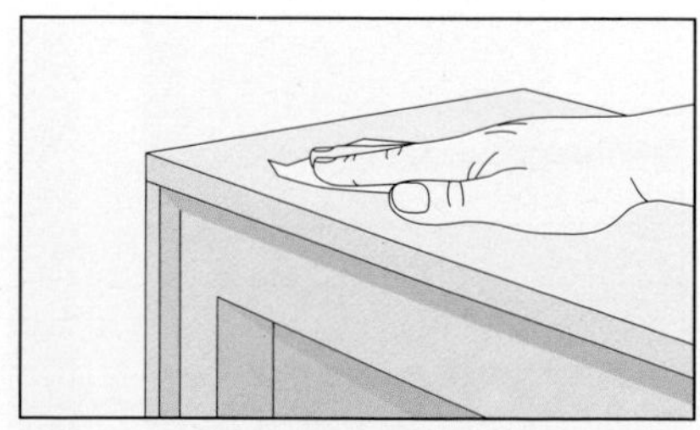

5 Poncer légèrement la première couche de finition en veillant à ne pas l'entamer, surtout le long des arêtes.

REMPLACER LES CHARNIÈRES

Les gonds de ce garde-manger ont été remplacés par des charnières simples en laiton, un modèle des plus faciles à fixer.

1 Raboter de part et d'autre des anciens gonds pour une remise à niveau.

2 Couper à la scie à métaux une bande de charnières sur une longueur inférieure à la hauteur de la porte de 4 mm environ. Ouvrir largement les lames et mettre l'une d'elles en place sur le chant de la porte, la broche apparente sur l'angle.

3 Visser avec des vis à tête de laiton. La pose des charnières s'effectue avant la mise en peinture.

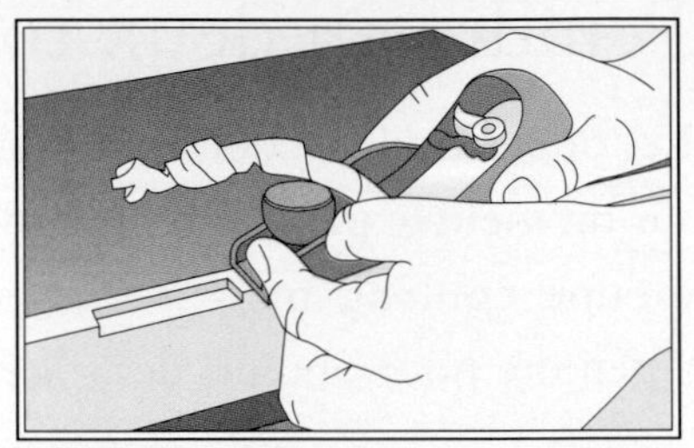

1 Raboter le long des anciens gonds pour remettre le bois à niveau.

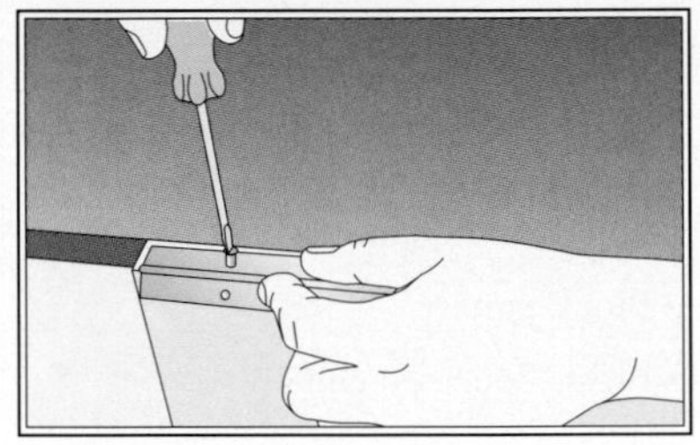

3 Couper une bande de charnières plus courte de 4 mm que la porte, la visser en place.

6 Laisser sécher complètement cette dernière couche avant d'enlever le ruban à masquer pour éviter d'arracher la peinture. Protéger les bords des parties qui doivent recevoir la seconde teinte. N'utiliser que du ruban de papier très peu adhésif pour ne pas risquer d'endommager les finitions. Le lisser fermement afin que la peinture ne s'infiltre pas dessous.

7 Poncer légèrement les parties à peindre au papier de verre super fin et dépoussiérer à la peau chamoisée.

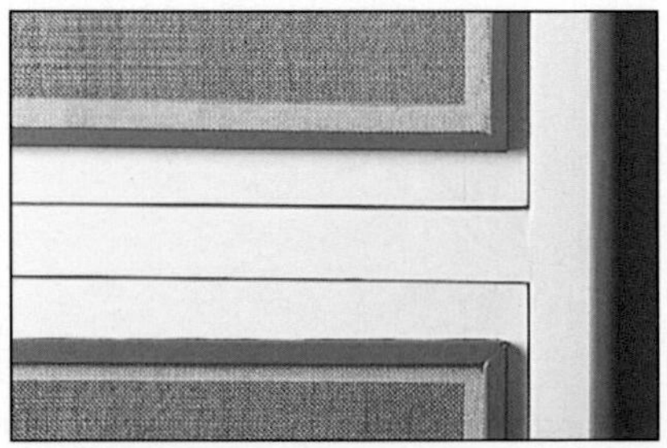

Seul le ruban à masquer permet d'obtenir un résultat sans bavures.

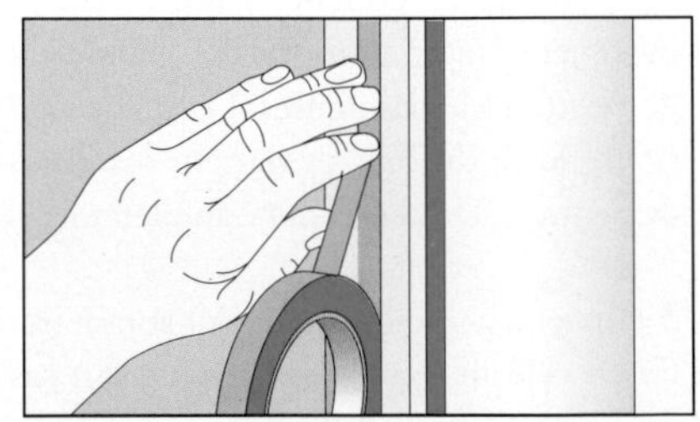

6 Border de ruban à masquer la partie à peindre d'une autre couleur. Bien lisser l'adhésif.

REMPLACER LE GRILLAGE

1 Avant d'entreprendre la finition, enlever l'ancien grillage couvrant les panneaux des portes en soulevant les baguettes au ciseau à bois du côté intérieur ; ainsi les marques éventuelles seront dissimulées par le nouveau grillage.

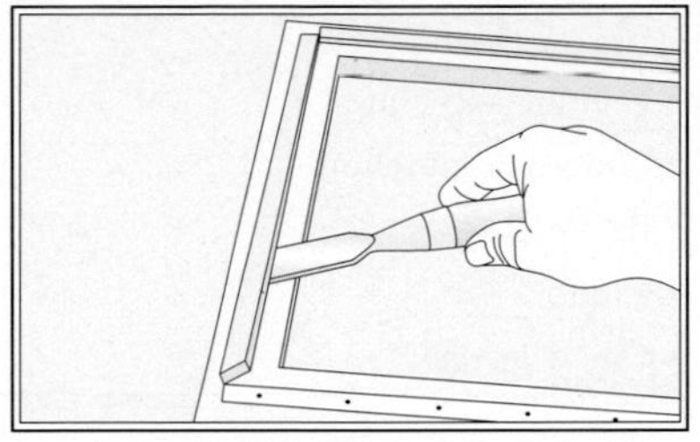

1 Déclouer les baguettes au ciseau à bois. Travailler du côté intérieur du panneau pour que les marques éventuelles soient dissimulées par le nouveau grillage.

2 Découper le grillage neuf aux dimensions de l'ancien. Le fixer sur les panneaux à l'agrafeuse lourde ou pneumatique ou avec des semences. Recouvrir ceux-ci avec des baguettes, et fixer les baguettes par des pointes à tête d'homme enfoncées jusqu'au bout.

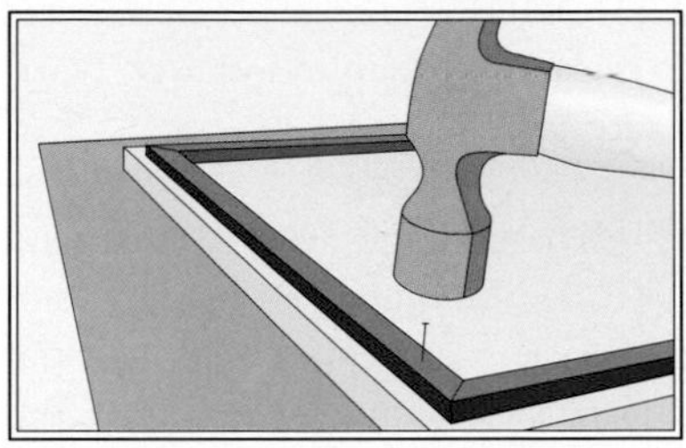

2 Clouer ou agrafer le nouveau grillage sur les panneaux puis clouer des baguettes par-dessus.

8 Appliquer la seconde couleur sur les parties dégagées. Poncer légèrement au papier super fin ou au tampon abrasif fin. Dépoussiérer à la peau chamoisée. Appliquer la seconde couche et laisser sécher.

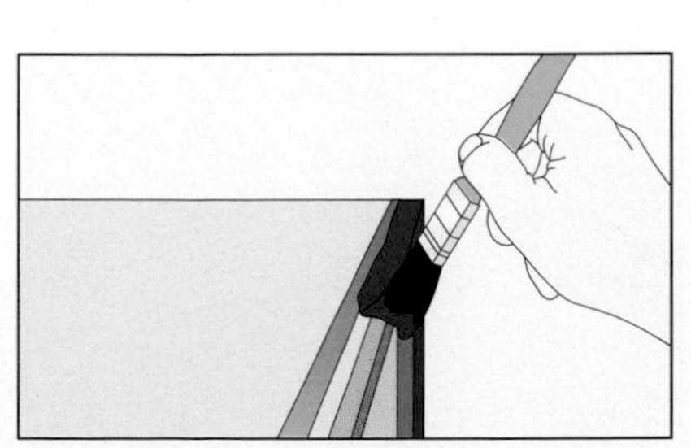

8 Appliquer avec soin la seconde couleur sur les surfaces bordées de ruban à masquer. Poncer et passer la dernière couche.

9 Décoller lentement le ruban à masquer, en vérifiant au fur et à mesure que la peinture ne s'arrache pas. Si elle menace de le faire, changer aussitôt l'angle sous lequel on décolle le papier et la direction. Opérer patiemment, car il s'agit d'une étape décisive.

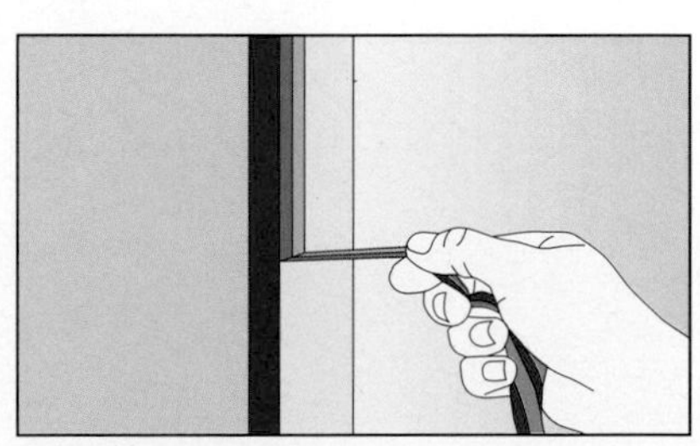

9 Décoller le ruban avec précaution. Si la peinture menace de s'arracher, continuer à tirer sous un autre angle.

Appliquer un glacis ciré

La finition veloutée de ce bahut a été réalisée au glacis à l'eau - de la peinture diluée - et à la cire d'abeille. Des travaux préparatoires soignés sont nécessaires si l'on veut obtenir un résultat de qualité, car on doit le démonter et apporter une attention particulière au masquage.

MÉTHODE

1 Préparer le meuble à traiter (voir encadré, page 53).

2 Diluer la peinture avec 50 % d'eau, en mélangeant soigneusement. On peut modifier le pourcentage d'eau selon le ton plus ou moins soutenu que l'on souhaite obtenir.

3 Ne travailler que sur une petite partie à la fois (telle qu'un panneau de porte ou un côté) pour pouvoir essuyer la peinture avant qu'elle ne sèche. Appliquer une généreuse couche de glacis et enlever l'excédent au chiffon propre. Pour obtenir une finition uniforme, essuyer d'un geste ferme et continu. Dès que le tissu s'est imprégné de peinture, en utiliser une autre partie ou changer le chiffon. Si la peinture sèche avant d'avoir été enlevée, appliquer une nouvelle couche et essuyer aussitôt (et dans ce cas travailler sur de plus petites parties). Laisser sécher.

4 Appliquer la cire au chiffon propre en frottant pour remplir les pores du bois. Laisser sécher une vingtaine de minutes, puis frotter énergiquement la surface au chiffon doux, ce qui enlèvera l'excédent de cire et donnera un beau lustre. Laisser au repos une demi-heure puis encaustiquer de nouveau. Plus les passages seront nombreux, plus réussie sera la finition.

MATÉRIEL

- Peinture acrylique
- Gants de caoutchouc
- Brosse plate
- Chiffons
- Cire d'abeille

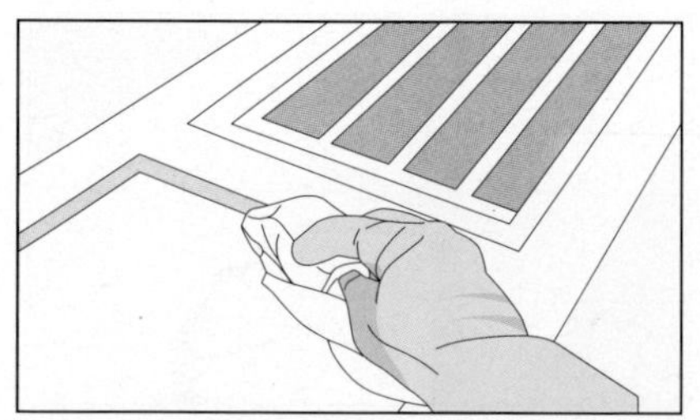

3 Étendre la peinture à la brosse et en essuyer l'excédent au chiffon d'un geste ferme et continu.

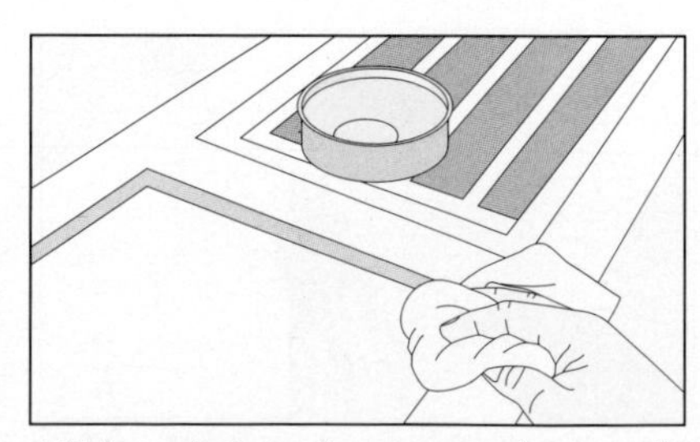

4 Faire pénétrer la cire en frottant la surface au chiffon. Plus on encaustiquera, meilleur sera le résultat.

La douceur du glacis à l'eau appliqué sur ce buffet crée l'encadrement idéal pour les panneaux de verre peint. La cire a ajouté son lustre velouté à la finition.

La peinture en aérosol convient parfaitement à un cadre de lit en fer forgé. Elle couvre uniformément les parties décoratives aussi bien que les barres.

Peindre la ferronnerie à l'aérosol

On peut peindre le fer forgé au pinceau mais la peinture en aérosol permet d'obtenir une finition plus uniforme, notamment sur les parties décoratives. La peinture au pistolet est la méthode la plus traditionnelle mais on trouve des bombes aérosols nécessitant moins de mise en œuvre. S'assurer que la peinture choisie convient bien au métal.

MÉTHODE

1 Bien dépoussiérer la ferronnerie à la peau chamoisée. Si la peinture employée n'est pas antirouille, appliquer une couche d'antirouille.

2 Tenir la bombe de peinture d'apprêt à une quinzaine de centimètres de la pièce à traiter et projeter uniformément un film mince. Laisser sécher puis appliquer une seconde couche. Cette méthode est plus couvrante qu'une seule couche épaisse et évite les coulures. Laisser sécher.

3 Poncer légèrement la surface au tampon abrasif fin en veillant à ne pas mettre le métal à nu ; si le métal apparaît, retoucher les parties dégagées avant de passer la seconde couche. Dépoussiérer à la peau chamoisée.

MATÉRIEL

- Peau chamoisée
- Peinture aérosol antirouille au zinc
- Tampon abrasif fin
- Laque de finition (aérosol pour le métal)

4 En tenant toujours la bombe à une quinzaine de centimètres, projeter une couche de peinture fine et uniforme. Laisser sécher, poncer légèrement au tampon puis essuyer à la peau chamoisée. Terminer par une seconde couche de laque.

CONSEIL

Projeter l'aérosol dans un local bien éclairé et sans poussière.

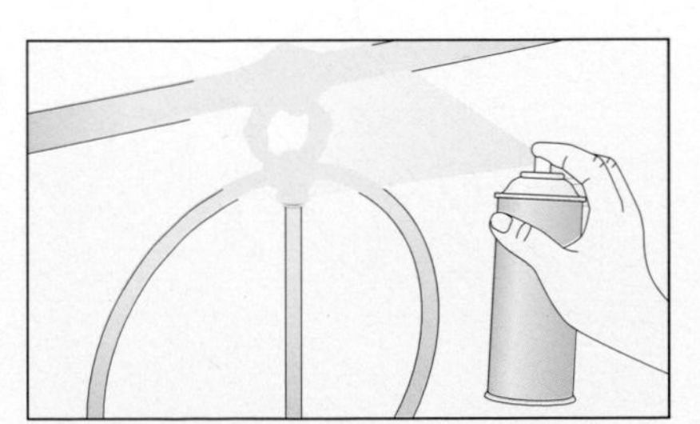

2 Maintenir la bombe à environ 15 cm de la pièce et projeter une pellicule de peinture mince et uniforme.

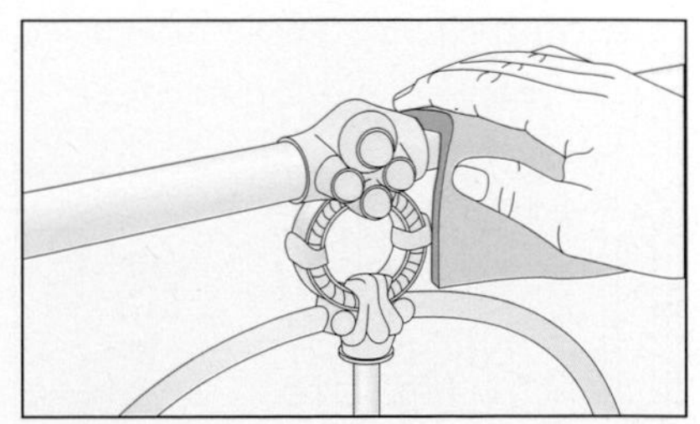

3 Poncer légèrement au tampon abrasif fin en veillant à ne pas entamer la peinture.

Peindre le rotin à l'aérosol

La peinture à l'aérosol est la meilleure manière de rajeunir un meuble de rotin ancien. Il s'agit d'une méthode simple et rapide. Pour garder l'aspect naturel du matériau, remplacer la peinture par un vernis polyuréthanne.

MATÉRIEL

- Peinture aérosol d'apprêt (3 bombes ont été utilisées pour ce fauteuil)
- Tampons abrasifs
- Brosse douce ou chiffon
- Peinture aérosol de finition (6 bombes)
- Cutter
- Peau chamoisée

MÉTHODE

1 Veiller à ce que la pièce à traiter soit bien préparée et dépoussiérée (voir encadré, page 53). La placer sur de vieux journaux et protéger le mobilier environnant.

2 Projeter la peinture d'apprêt en tenant la bombe de peinture à une quinzaine de centimètres du meuble. Laisser sécher complètement.

3 Poncer entièrement la pièce au tampon abrasif puis la dépoussiérer à la brosse douce ou à la peau chamoisée.

4 Appliquer la première couche de finition et laisser sécher. Poncer la peinture au tampon abrasif. Couper au cutter les petites fibres de rotin qui créent des aspérités.

5 Dépoussiérer le fauteuil puis projeter la seconde couche de peinture.

COULURES

Essuyer toute trace de coulure encore fraîche. Si l'on a laissé sécher une coulure, la poncer et retoucher cette partie. On éliminera les surépaisseurs importantes en les arasant au cutter avant que la peinture ne soit complètement sèche.

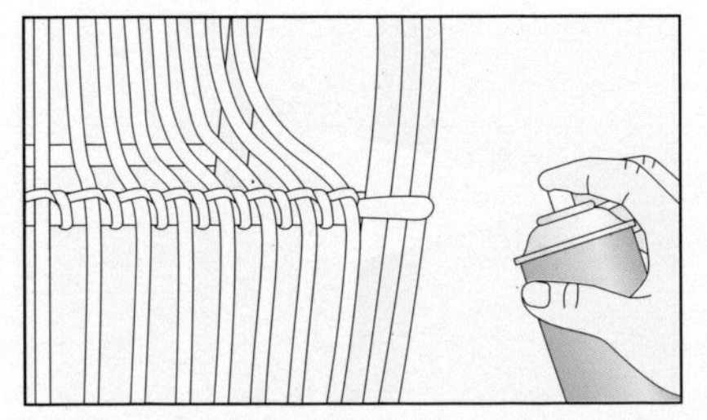

2 En tenant la bombe à 15 cm de la pièce, projeter uniformément une mince couche d'apprêt.

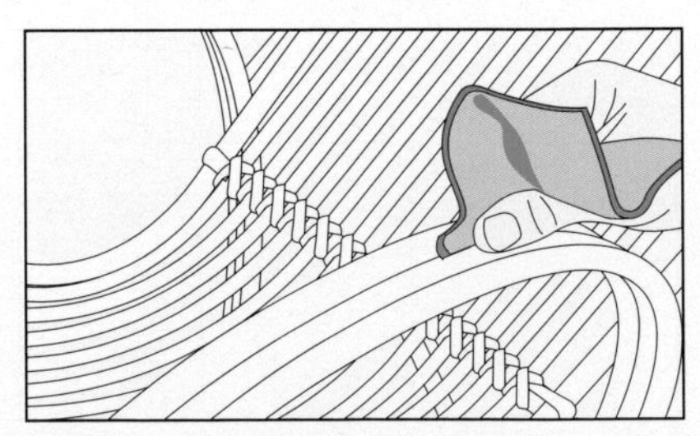

3 Poncer légèrement au tampon abrasif fin. Épousseter au chiffon doux.

Préparé avec soin et couvert d'une belle peinture de finition, ce fauteuil de rotin apportera tout son charme à une terrasse ou un patio.

Une simple finition à la cire met magnifiquement en valeur le veinage de cette commode.

Encaustiquer

La cire donne du lustre aux meubles tout en préservant l'apparence naturelle du bois. Mais les surfaces cirées se tachent facilement si elles n'ont pas été protégées au préalable par un vernis transparent.

MÉTHODE

1 Préparer le meuble à traiter (voir encadré, page 53).

2 Appliquer la cire au tampon de laine d'acier ou au tampon abrasif fin en la faisant bien pénétrer dans le bois. Ne pas laisser d'encaustique.

3 Quelques instants après, frotter au chiffon pour répartir la cire uniformément. Comme la surface reste collante, remplacer une partie encrassée du chiffon par une partie propre tout en continuant à frotter vigoureusement le plus longtemps possible. Tenir le meuble de sa main libre avec un chiffon propre pour éviter que le bois ne soit graissé à son contact.

4 Renouveler l'opération au moins une fois : c'est par un encaustiquage répété que l'on embellit la finition.

MATÉRIEL

- Cire d'abeille
- Tampon de laine d'acier ou abrasif fin
- Chiffon
- Peau chamoisée

NETTOYER UNE SURFACE CIRÉE

Poncer le bois très marqué au tampon abrasif fin, toujours dans le sens du fil. Sinon, essuyer aussitôt avec un chiffon imbibé d'eau chaude savonneuse et essuyer avec un chiffon absorbant propre.

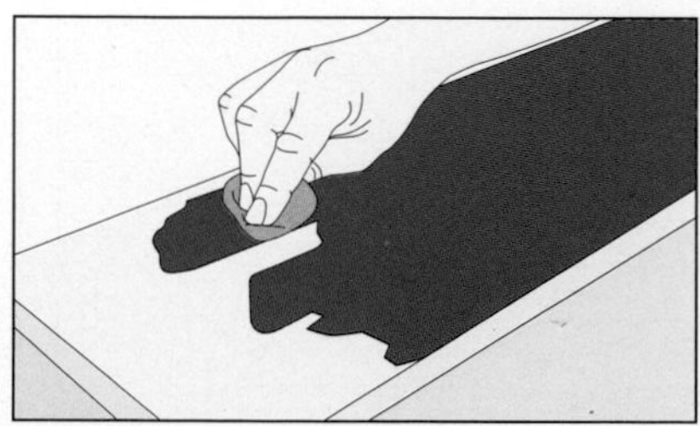

2 Appliquer la cire avec un tampon de laine d'acier ou un tampon abrasif fin dans le sens du fil.

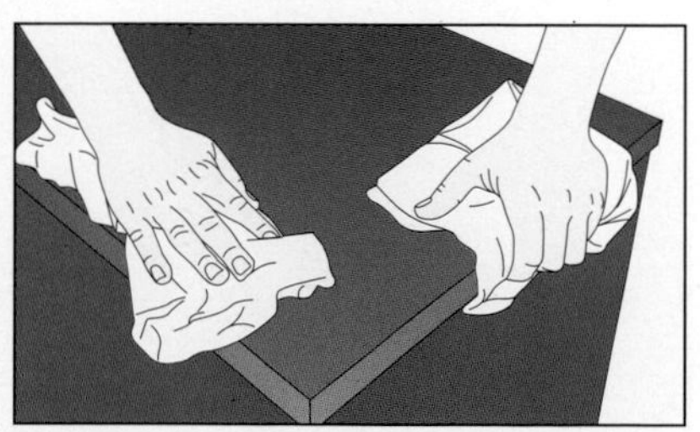

3 De sa main libre, maintenir fermement le meuble avec un chiffon propre tout en frottant de l'autre main.

Appliquer du vernis

Le vernis est une finition brillante qui recouvre le bois d'un film dur et transparent. La plupart des vernis actuels sont du type polyuréthanne, à solvants, brillants, mats ou satinés. On peut les colorer. Ces vernis résistent à la chaleur et aux taches.

MÉTHODE

1 Préparer le meuble à traiter (voir encadré, page 53). Juste avant d'appliquer le vernis, dépoussiérer à fond à la peau chamoisée, notamment les parties creuses ou anguleuses.

MATÉRIEL

- Vernis polyuréthanne brillant
- Brosse plate
- Deux feuilles de papier abrasif super fin et ultra fin
- Cale à poncer
- Tampon abrasif fin
- Brosse douce ou chiffon
- Peau chamoisée
- White spirit (pour le nettoyage des pinceaux)

2 Appliquer la première couche de vernis à la brosse plate. Couvrir les chants de tiroirs et de portes. Laisser sécher (ce qui prendra de 1 à 3 jours selon le temps). Le film doit durcir complètement avant de recevoir la seconde couche.

3 Poncer entièrement le meuble au papier abrasif super fin sur une cale à poncer ou en pliant les feuilles (ne pas utiliser de ponceuse vibrante qui mordrait le vernis). Traiter les arêtes et les parties anguleuses au tampon abrasif fin. Dépoussiérer à la brosse douce ou au chiffon.

4 Répéter les opérations 2 et 3, mais en ponçant au papier abrasif ultra fin. Nettoyer à fond à la peau chamoisée. Appliquer la troisième et dernière couche de vernis et laisser sécher.

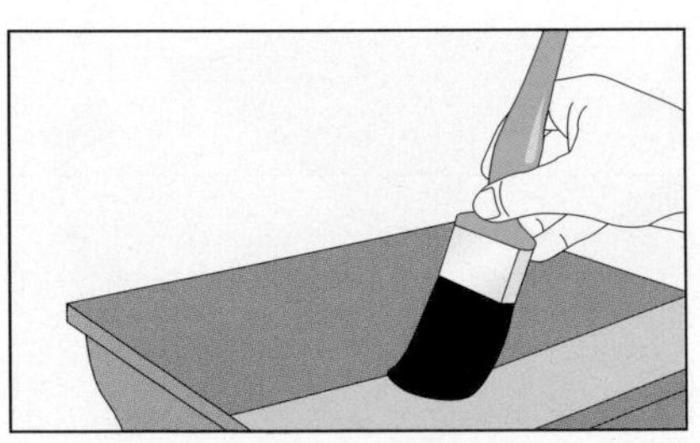

2 Appliquer le vernis à la brosse plate. Laisser sécher deux ou trois jours jusqu'à durcissement complet.

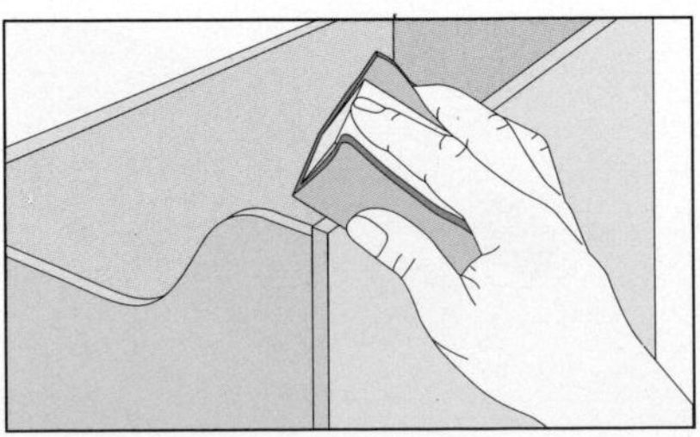

3 Poncer tout le meuble. Passer un tampon abrasif fin dans les angles et sur les arêtes pour ne pas mordre sur le vernis.

Grâce à une finition au vernis, ce meuble de bureau retrouve une certaine élégance. Le coulisseaux usés des tiroirs ont été renforcés de lames de laiton (voir page 30).

Ce porte-serviettes en bois tourné a été rajeuni par un vernis couleur teck. Pour une finition plus classique, on emploiera un vernis plus foncé.

Appliquer un vernis teinté

Le vernis teinté est un vernis contenant des pigments qui modifient la couleur naturelle du bois. Ce type de vernis existe dans une large gamme de teintes. Il permet d'obtenir un résultat plus rapide que la méthode traditionnelle consistant à teinter le bois avant de le vernir. Toutefois, cette finition demande un certain coup de main.

MATÉRIEL

- Peau chamoisée
- Vernis à l'eau teinté
- Brosse plate
- Papier abrasif super fin
- Tampon abrasif fin
- Brosse douce ou chiffon

MÉTHODE

1 Préparer le meuble ou l'objet à traiter (voir encadré, page 53). Juste avant d'appliquer le vernis, épousseter à fond à la peau chamoisée, notamment les parties creuses et décoratives, qui retiennent la poussière. S'il en reste un tant soit peu, ces particules apparaîtront dans le vernis.

2 Appliquer le vernis teinté à la brosse plate, toujours dans le sens du fil du bois pour ne pas laisser de marques. Avant de nettoyer la brosse à l'eau, examiner attentivement la pièce à la recherche de coulures ou de surépaisseurs qui seront beaucoup plus faciles à égaliser à la brosse qu'à poncer après durcissement.

NETTOYER LES SURFACES PEINTES OU VERNIES

Pour nettoyer les surfaces peintes ou vernies, tremper un chiffon propre dans de l'eau savonneuse, l'essorer et le passer sur le support. Puis essuyer de nouveau, cette fois avec un chiffon seulement imbibé d'eau. Laisser sécher.

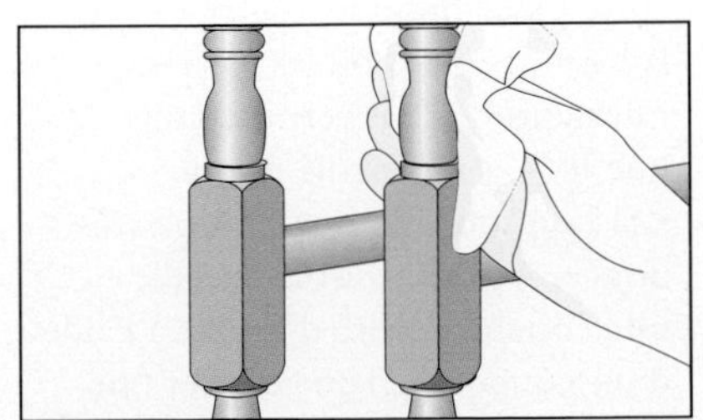

1 Dépoussiérer parfaitement toute la pièce à la peau chamoisée.

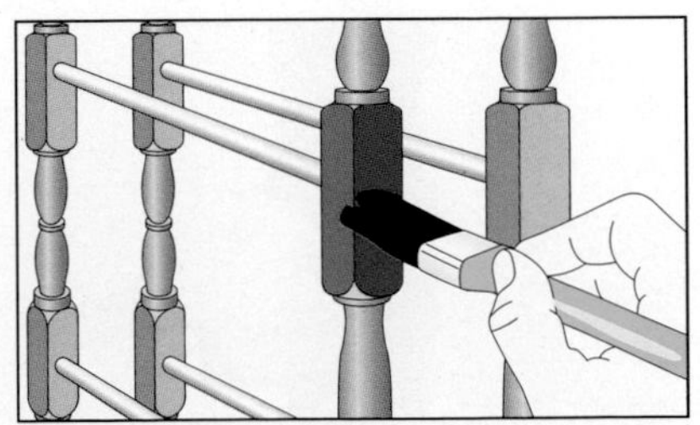

2 Appliquer le vernis coloré à la brosse plate, et dans le sens du fil pour éviter les marques.

Le vernis coloré est appliqué sur une surface parfaitement propre.

3 Laisser durcir complètement le vernis, ce qui peut prendre un peu plus de temps que ne l'indique le fabricant, faute de quoi un ponçage prématuré l'abîmerait. Poncer toutes les parties les plus accessibles au papier abrasif super fin, en veillant à ne pas entamer le vernis, surtout le long des arêtes. Sur les parties ornementées, utiliser le tampon abrasif fin, moins mordant. Épousseter à la brosse douce ou au chiffon.

4 Répéter les opérations 2 et 3 pour appliquer une seconde et dernière couche de vernis teinté.

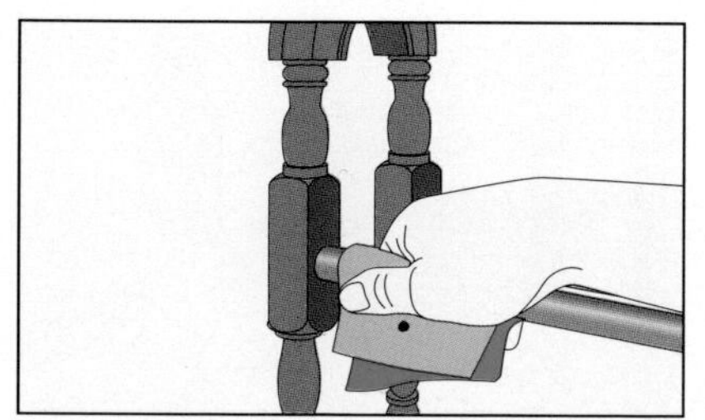

3 Poncer le vernis. Sur les parties rondes ou ornementales, passer le tampon abrasif fin qui préservera mieux la finition.

CONSEILS POUR VERNIR

- Travailler toujours dans un local bien ventilé lorsqu'on utilise un vernis à solvant.
- N'employer que des brosses de qualité et en bon état, car les soies qui se détachent sont irrémédiablement prises dans le vernis.
- Avant d'appliquer un vernis coloré, faire des essais sur une partie cachée du meuble pour s'assurer que la teinte obtenue est la bonne.
- Une fois la teinte souhaitée obtenue, si le meuble n'est pas complètement couvert de vernis, appliquer une couche de vernis incolore.
- On peut parfois foncer le ton d'un vernis coloré en ajoutant une teinture à l'alcool.
- Un vernis teinté s'éclaircit aux diluants spécifiques ou à l'essence (se reporter au mode d'emploi et à la composition du produit).
- Le pin se traite en général au vernis incolore, ce qui lui donne cette belle teinte dorée qui fait son charme.
- Si l'on place le mobilier traité dans une salle de bains ou toute autre pièce humide, veiller à ce que la base des pieds ou les parties inférieures soient vernies pour que le bois reste isolé du sol.
- Si l'on souhaite une finition très douce, appliquer sur le meuble une couche de cire d'abeille à l'aide d'un tampon de laine d'acier fine. Vérifier au préalable que le vernis est parfaitement sec et dur.

TRAVAUX DE PRÉPARATION

Que le meuble à rénover vienne d'être décapé ou soit resté en attente, il faudra le préparer à recevoir sa finition. Ces travaux préliminaires sont particulièrement recommandés lorsqu'il s'agit de finitions transparentes telles qu'un vernissage, mais, dans tous les cas, la finition accrochera mieux sur une surface apprêtée avec soin.

1 S'assurer tout d'abord que le meuble soit parfaitement propre. On nettoie et l'on dégraisse au savon noir, avec de l'eau chaude et au tampon à récurer. Rincer et laisser sécher complètement. Ce traitement relèvera par la même occasion les fibres enfoncées.

2 Démonter portes, tiroirs, ferrures et poignées. Enfoncer les clous que l'on ne peut arracher. Couvrir les panneaux vitrés de papier journal en le fixant tout autour avec du ruban à masquer. S'assurer que cet adhésif suit parfaitement les bordures et les angles.

3 Poncer au papier abrasif à grain moyen, autant que possible dans le sens du fil du bois pour araser les aspérités. Utiliser une ponceuse vibrante pour les panneaux, la cale à poncer ou le papier abrasif pour les surfaces plus réduites, et le papier abrasif plié pour les moulures et les parties creuses.
Poncer les arêtes trop vives, car une finition accroche mieux sur les angles arrondis.

4 Enduire les fentes et les trous au mastic à bois et lisser à la spatule. Laisser sécher, puis poncer au papier abrasif fin. Bien épousseter.

5 Poncer à nouveau, cette fois au papier abrasif très fin. Épousseter à la peau chamoisée.

6 Teinter toutes les parties dont la couleur détone (voir étape 2, page 60).

7 Appliquer au pinceau un vernis antirouille sur les têtes de vis et les clous apparents.

8 Donner un dernier coup de chiffon pour dépoussiérer.

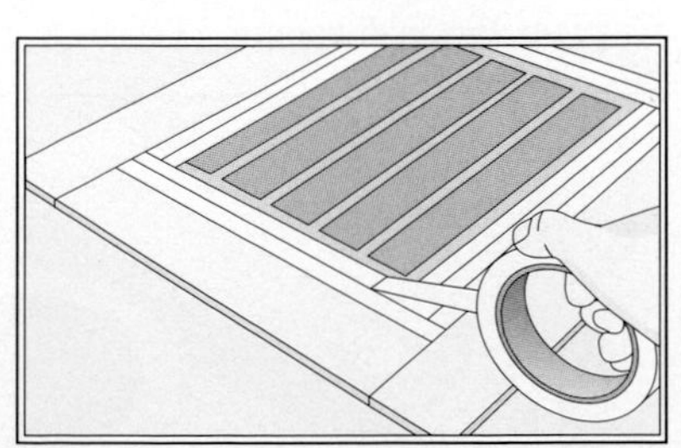

2 Couvrir les vitrages ou les parties non peintes de papier journal fixé au ruban à masquer.

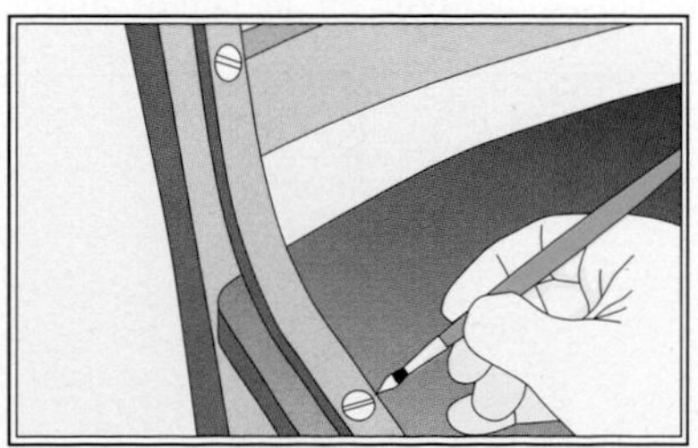

7 Passer les têtes de vis apparentes au vernis antirouille avec un petit pinceau.

Vernir au tampon

Le vernis au tampon se compose de gomme-laque dissoute dans l'alcool. Il donne une belle finition brillante mais n'est pas facile à maîtriser. Une surface vernie au tampon marque et se tache facilement.

MÉTHODE

1 Préparer le meuble à traiter (voir encadré, page 53).

2 Les mains protégées de gants, appliquer le vernis par petites parties (par exemple les pieds de cette table) à la brosse ; essuyer aussitôt l'excédent de vernis tout en égalisant la finition avec un petit tampon. Travailler autant que possible dans le sens du bois et ne couvrir que de petites surfaces à la fois car le vernis sèche vite. S'il devient collant, c'est que l'on opère trop lentement ou sur de trop grandes surfaces ; on peut alors recharger le tampon pour repasser du vernis frais, mais il vaut mieux éviter ces reprises. Commencer par des petits mouvements circulaires, ensuite former des huit et terminer en poussant et en tirant le tampon dans le sens du fil (voir schéma, page 56). Travailler en continu ; si l'on doit s'interrompre, enlever le tampon en le faisant glisser plutôt qu'en le soulevant abruptement. La pression doit être ferme, mais pas au point de décoller la couche précédente.

MATÉRIEL

- Gants
- Vernis à l'alcool
- Petite brosse de peintre
- Coton hydrophile
- Chiffon de coton doux non pelucheux
- Élastique ou ficelle fine
- Récipient à bord bas
- Tampon abrasif fin
- Papier abrasif super fin et ultra fin
- Peau chamoisée
- Brosse douce ou chiffon

3 Sur les plus grandes surfaces, appliquer le vernis avec un tampon plus large en le rechargeant constamment dans le récipient. Procéder comme à l'étape 2.

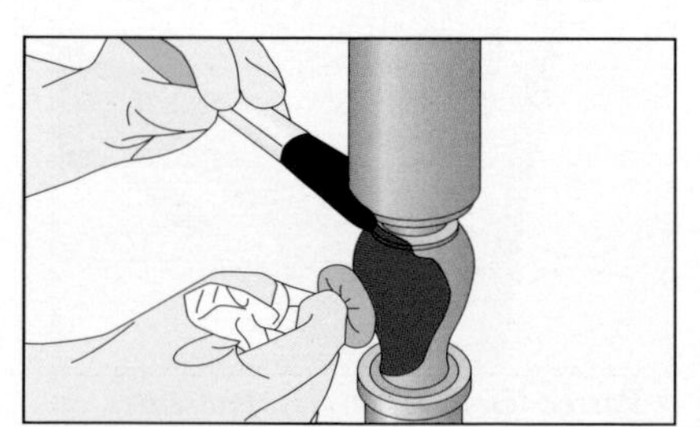

2 Appliquer le vernis sur les petites surfaces avec une brosse fine et frotter avec un petit tampon.

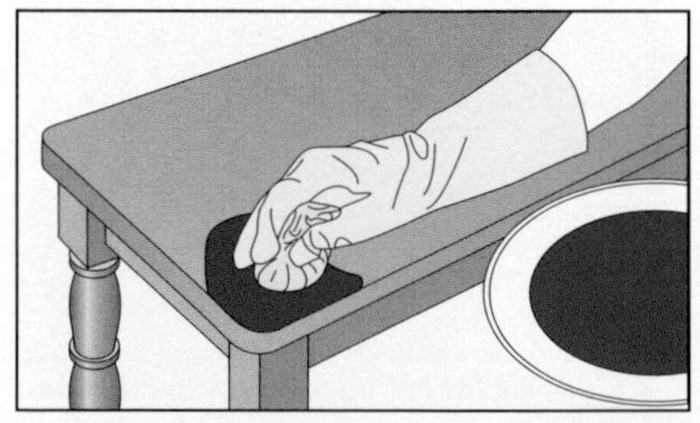

3 Sur les grandes surfaces, appliquer le vernis avec un gros tampon que l'on recharge régulièrement dans un récipient à bord bas.

Le vernis au tampon vaut bien l'effort et les soins d'entretien qu'il faut y consacrer car il s'agit certainement de la plus belle des finitions au vernis.

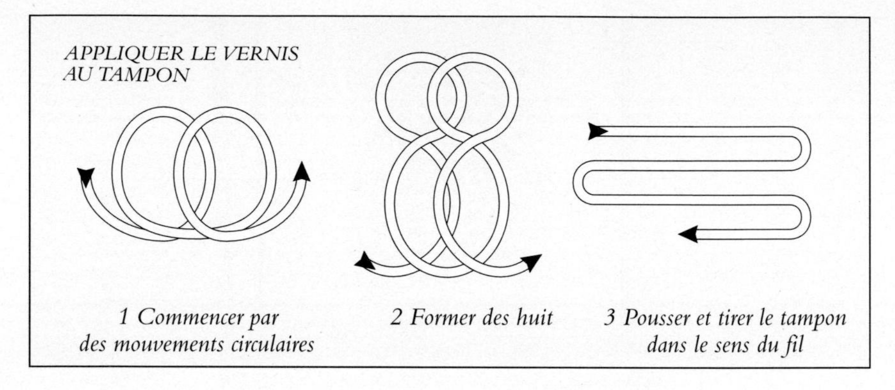

1 Commencer par des mouvements circulaires *2 Former des huit* *3 Pousser et tirer le tampon dans le sens du fil*

4 Poncer légèrement au tampon abrasif fin. Passer prudemment les coulures et les surépaisseurs au papier de verre ultra fin. Épousseter à la brosse douce ou au chiffon, puis passer la peau chamoisée.

5 Renouveler les opérations en ponçant chaque nouvelle couche au tampon abrasif fin. Six couches de vernis ont été appliquées sur cette table ; il faut en compter au moins quatre pour une finition de qualité. Au-delà de six, on obtient une matière très riche.

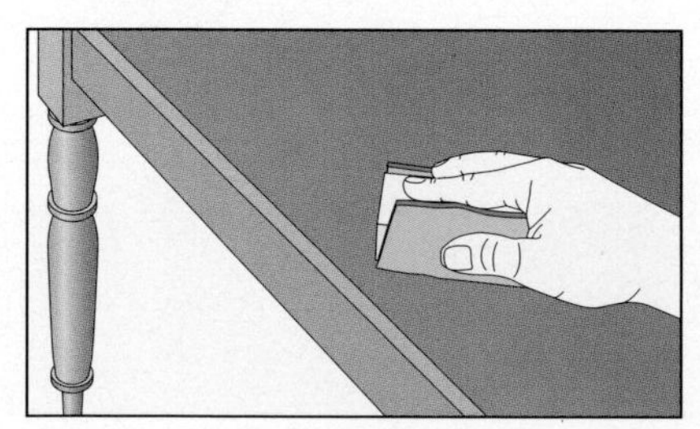

4 Poncer légèrement au tampon abrasif fin puis araser les coulures au papier abrasif fin.

RESTAURER LE VERNIS AU TAMPON

- Si un vernis au tampon est éraflé ou s'écaille, il n'existe pas de solution immédiate. Il faut le poncer ou le décaper à l'alcool à brûler et revernir.
- Les traces collantes ou les taches de graisse s'enlèvent au linge humide. Sécher aussitôt la surface au chiffon.
- Pour raviver un vernis au tampon, le nettoyer d'abord à l'eau chaude et aux copeaux de savon. Lorsque la surface est bien sèche, appliquer un mélange de 5 mesures d'alcool, 2 mesures d'huile de lin et 1 mesure d'essence de térébenthine. On trouve aussi dans les magasins spécialisés des « popotes d'antiquaire » qui vivifient et nettoient ce type de finition.
- Si le meuble a été exposé au soleil, son brillant a pu se ternir et le bois blanchir en dessous. Dans ce cas, décaper le vernis (voir pages 22-25) et nettoyer la surface au vinaigre dilué. Après séchage, frotter avec une préparation à parts égales d'huile de lin et d'essence de térébenthine. Enfin, revernir au tampon.

CONFECTIONNER UN TAMPON

Pour réussir un vernis
au tampon, il faut commencer
par confectionner un tampon,
dont la taille dépendra
de la surface à traiter.
Pour fabriquer un gros tampon,
on se procurera un carré d'ouate
de 20 centimètres carrés ;
pour un petit tampon,
5 centimètres carrés d'ouate
suffiront.

1 Plier le carré d'ouate en forme
de poire aplatie, lisse d'un côté
et rassemblant les plis de l'autre.
Cette boule doit être bien serrée.

2 Entourer ce paquet d'un tissu
de coton non pelucheux
(un chiffon de drap blanc fera
parfaitement l'affaire), les surfaces
lisses l'une contre l'autre ;
rassembler et tordre les plis du côté
opposé puis aplatir le tampon
en lui gardant sa forme de poire.

3 Serrer le tissu avec un élastique
ou un brin de ficelle.
Le coussin du tampon doit être
tendu et ne présenter aucun pli,
faute de quoi le vernis serait
inégalement réparti et resterait
marqué.

4 Au moment de commencer,
ouvrir le tampon par le haut
et verser le vernis sur l'ouate
jusqu'à ce qu'elle en soit imbibée
mais ne goutte pas.
Renouer le tampon.

5 Presser le coussinet sur une
feuille de papier pour extraire
l'éventuel trop-plein de vernis.
Le tampon est maintenant
prêt à l'emploi.
Pour laisser le tampon en attente
entre deux applications,
le placer dans un petit récipient
fermé contenant environ un
centimètre d'alcool à brûler,
ce qui l'empêchera de sécher.

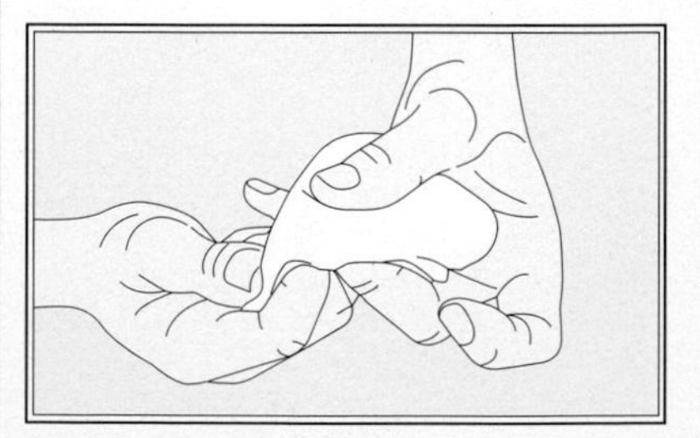

1 Plier un carré d'ouate en forme de poire, plat d'un côté et replié de l'autre.

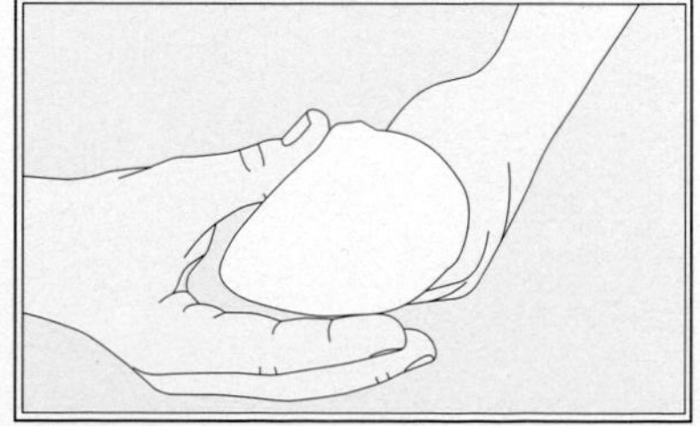

2 Envelopper le coussin d'ouate d'un linge de coton non pelucheux et ramener les plis sur le côté opposé.

Ce petit meuble à tiroirs d'inspiration japonaise se prêtait parfaitement à une finition au vernis noir.

Laquer au vernis noir

Les véritables finitions laquées sont difficiles à réaliser, mais le vernis noir façon laque du Japon donne des résultats proches et reste à la portée de l'amateur.

MÉTHODE

1 Préparer la pièce à traiter (voir encadré, page 53).

2 Avant de commencer, veiller à ce que tout le matériel nécessaire, ainsi que des chiffons, restent à portée de main car le vernis noir sèche vite. Les mains protégées de gants, appliquer généreusement le vernis à la brosse plate moyenne, une partie du meuble après l'autre. Avant que le vernis ne sèche, en essuyer l'excédent au chiffon propre. Laisser durcir.

3 Couvrir cette finition de vernis à l'alcool. L'appliquer de la même manière que le vernis noir, à la brosse, une partie après l'autre. Essuyer l'excédent au chiffon non pelucheux.

4 Une fois le vernis à l'alcool sec, poncer très légèrement au tampon abrasif fin (fixé sur une cale à poncer pour les grandes surfaces). Épousseter à la brosse douce ou au chiffon.

5 Passer toute la pièce à la peau chamoisée. Dès qu'une partie a retenu la poussière, utiliser une partie propre.

6 Agiter vigoureusement la bombe de vernis. Projeter deux couches à 2 heures d'intervalle en tenant la bombe à une quinzaine de centimètres de la pièce pour prévenir les coulures.

MATÉRIEL

- Vernis noir
- Brosses plates
- Chiffons
- Gants de caoutchouc
- Vernis à l'alcool
- Chiffon non pelucheux
- Tampons abrasifs fins
- Cale à poncer
- Brosse douce
- Peau chamoisée
- Vernis aérosol (2 bombes ont été utilisées ici)

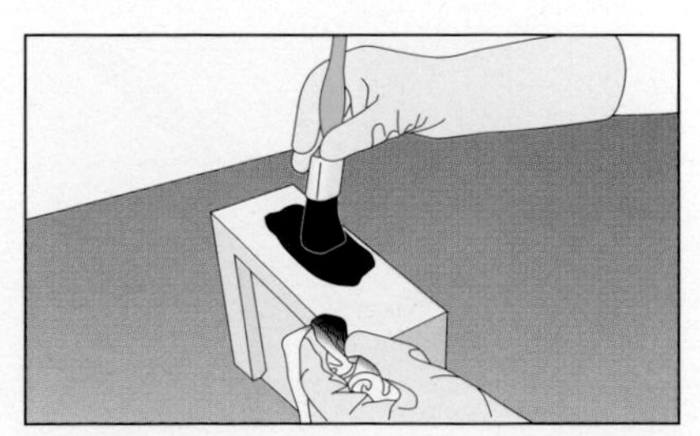

Appliquer le vernis noir à la brosse plate sur une petite surface et essuyer aussitôt l'excédent au chiffon propre.

Finitions à l'huile

Les belles essences de bois, telles que le cèdre du plateau et du socle de ce guéridon, peuvent être passées à l'huile, en général de l'huile de lin, bien qu'il existe maintenant d'autres possibilités. Ces huiles rehaussent les qualités naturelles du bois, mais elles sont vulnérables à la chaleur et se tachent facilement.

MÉTHODE

1 Préparer la pièce à traiter (voir encadré, page 53) en apportant un soin tout particulier au ponçage (terminer au papier abrasif ultra fin). Si l'on utilise du mastic à bois, veiller à le choisir de la bonne teinte.

2 Teindre la pièce ou les parties dont les couleurs détonent. C'est là une opération importante dans la mesure où l'huile renforce les contrastes du bois. La colonne et les pieds de ce guéridon on été teints pour les assortir au bois de cèdre du plateau et du socle. Faire tout d'abord un essai sur une partie cachée du meuble (porter des gants pour éviter de se tacher les mains). Laisser sécher et, si le résultat est satisfaisant, teindre les parties qui le demandent. Essuyer les coulures éventuelles au chiffon propre. Laisser sécher.

MATÉRIEL

- Papier abrasif ultra fin
- Teinture pour bois (facultatif)
- Gants de caoutchouc (facultatif)
- Deux brosses plates
- Chiffons de coton
- Huile de finition, telle que l'huile de lin

3 Appliquer l'huile sur tout le meuble à la brosse propre. À mesure que le bois l'absorbe, repasser de l'huile sur les parties sèches. Au bout d'une demi-heure environ, l'huile doit avoir pénétré sur toute la surface du meuble. Le temps d'absorption peut ne prendre qu'une quinzaine de

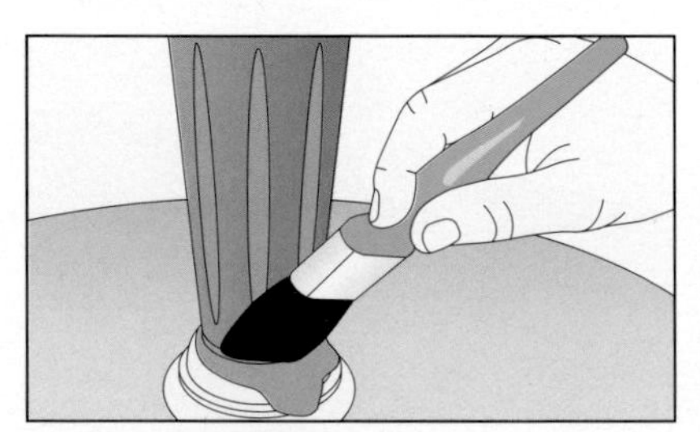

2 Teinter les différentes parties du meuble composé d'essences différentes pour harmoniser l'ensemble.

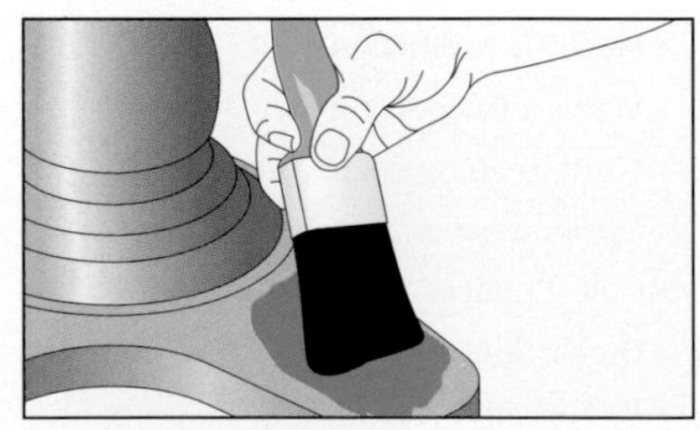

3 Appliquer l'huile à la brosse plate propre sur toute la pièce en renforçant au fur et à mesure les parties qui l'absorbent.

La colonne et les pieds de ce guéridon ont été teints en harmonie avec le dessus et le socle, puis tout le bois a reçu six couches d'huile pour donner une très belle finition facile à appliquer.

Le décapage de ce guéridon a révélé deux essences différentes, du cèdre pour le dessus et le socle et un bois plus clair pour la colonne et les pieds.

minutes par temps chaud ou jusqu'à une heure par temps frais. Avant que la surface ne devienne collante, frotter vigoureusement au chiffon pour enlever tout excédent d'huile.

4 Renouveler l'application quatre fois au minimum et, pour une finition très protectrice, jusqu'à six fois. Plus les couches seront nombreuses, plus riche sera la finition.

5 Continuer à nourrir le bois de temps en temps, pour le protéger et l'embellir.

NETTOYER LES FINITIONS À L'HUILE

Ne pas encaustiquer un meuble qui a reçu une finition à l'huile. Pour raviver ces surfaces, frotter un peu d'huile pour bois au chiffon propre dans le sens du fil. Pour finir, « buffler » au chiffon doux.

Les taches et les traces de brûlure ne peuvent pas s'enlever sur les meubles huilés.

Matériel pour restaurer le mobilier

L'outillage de base pour restaurer le mobilier est présenté ci-dessous. On complétera le matériel au fur et à mesure. La plupart de ces articles se trouvent en quincaillerie.

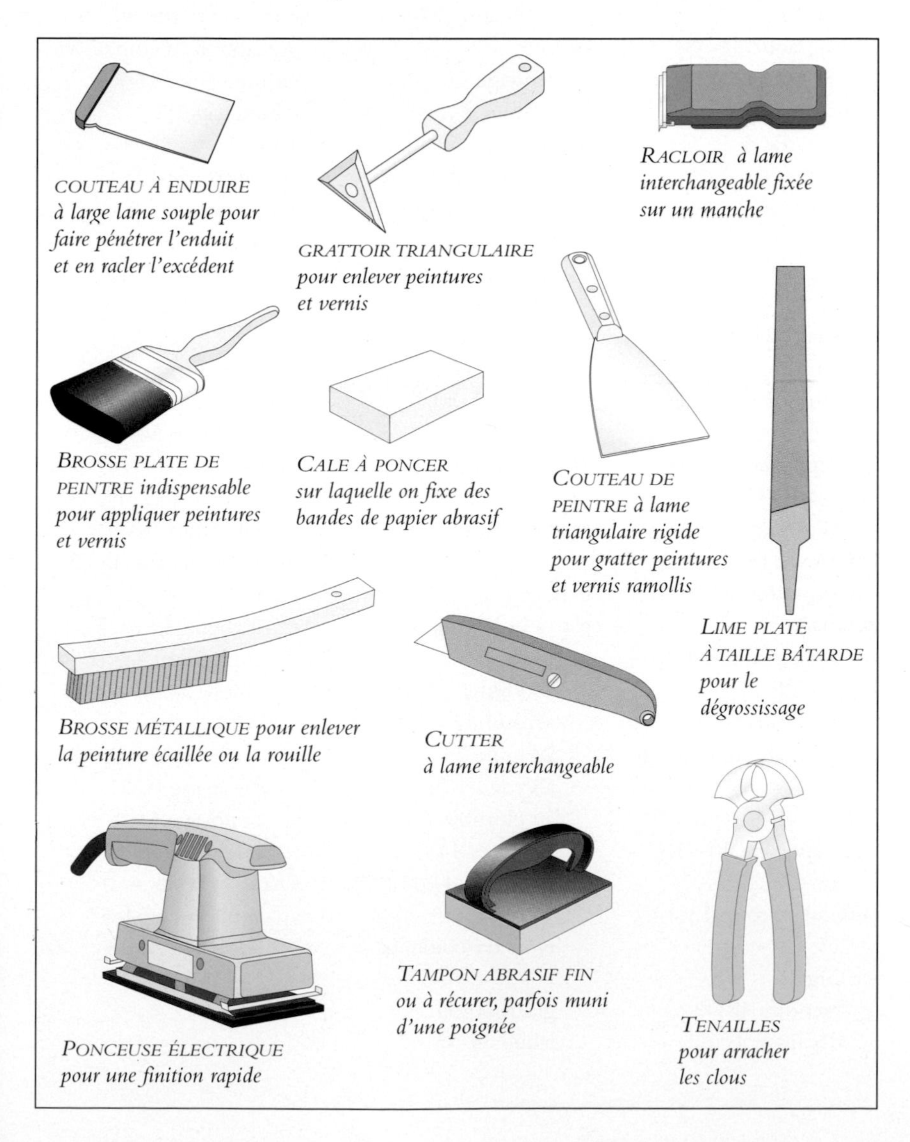

INDEX